Experiencing Chinese

英语版

Living in China

体验汉语 100 句

编者 陈建民 吕文华 宋晓星 褚佩如

生活类

Printed in China

高等教育出版社
Higher Education Press

图书在版编目（CIP）数据

体验汉语100句. 生活类：英语版／岳建玲等编著.
北京：高等教育出版社，2006.8（2009 重印）
ISBN 978 - 7 - 04 - 020314 - 1

Ⅰ.体...　Ⅱ.岳...　Ⅲ.汉语 - 口语 - 对外汉语教
学 - 自学参考资料　Ⅳ. H195.4

中国版本图书馆 CIP 数据核字（2006）第 073635 号

总 策 划	刘　援	**策划编辑**	徐群森	**责任编辑**	金飞飞　鞠　慧
封面设计	彩奇风	**版式设计**	高　瓦	**责任绘图**	吉祥物语
插图选配	金飞飞　鞠　慧	**责任校对**		鞠　慧　金飞飞	
责任印制	宋克学				

出版发行	高等教育出版社	购书热线	010 - 58581118
社　　址	北京市西城区德外大街 4 号	免费咨询	800 - 810 - 0598
邮政编码	100120	网　　址	http://www.hep.edu.cn
总　　机	010 - 58581000		http://www.hep.com.cn
		网上订购	http://www.landraco.com
			http://www.landraco.com.cn
经　　销	蓝色畅想图书发行有限公司	畅想教育	http://www.widedu.com
印　　刷	高等教育出版社印刷厂		
开　　本	889 × 1194　1/32	版　次	2006 年 8 月第 1 版
印　　张	6.75	印　次	2009 年 4 月第 4 次印刷
字　　数	100 000		

ISBN 978 - 7 - 04 - 020314 - 1
02800

物　料　号　20314 - 00

尊敬的读者:

您好!

欢迎您选用《体验汉语100句》系列丛书。

随着全球化的发展和中国国力的不断增强,世界范围内学习汉语的人数不断增加。为满足不同国度、不同领域、不同层次读者的需求,我社策划、研发了《体验汉语100句》系列丛书。该系列丛书包含生活类、留学类、商务类、旅游类、文化类、体育类、公务类、惯用语类等诸方面,有针对性地帮助汉语学习者快捷地掌握相关领域中最常见、最实用的中文表达。

为满足各国汉语学习者的实际需要,每册书还配有英语、日语、韩语、法语、德语、俄语、西班牙语、泰语、印尼语等九个语言版本,今后还将开发更多语种的版本。

愿本书成为您步入汉语世界的向导,成为您了解中国的桥梁,也希望您提出批评和建议。欢迎您随时与我们联系。

高等教育出版社

2006年8月

前言

本书是《体验汉语 100 句》系列中的生活类。

《体验汉语 100 句》系列覆盖生活、留学、商务、旅游、文化、体育、公务、惯用语等诸多方面，有针对性地帮助汉语学习者掌握相关领域中最常见、最实用的中文表达。

本书挑选生活中 100 个常用、地道的句子，分成 14 个类别进行学习，有助于汉语学习者解决日常生活中的基本语言问题。

特 点

本书按照功能项目分类检索，包括问候、时间与安排、购物、就餐、家庭与工作、打电话、交通与出行、地点与方位、身体与感受、闲暇、天气、家务、银行和服务等 14 个项目。每个项目下选取的句子不仅实用，而且具有较强的生成性，适用范围较广，便于读者今后深入学习。

所有中文句子都标有拼音和英文注释，提示部分则直接用英文表达。

本书的插图活泼幽默，大量使用实物照片，使学习者仿佛身临其境，可以更好地了解中国。

附录收入了十二属相、八大菜系、常用计量单位换算表和紧急电话号码等实用信息。

结 构

本书中每句话的学习包括常用句、对话、DIY 和注释四个部分。

•常用句

全书共收录 100 个句子，每个句子都用汉字、拼音和英语注释清楚地标明了句子的读音、意义和写法。

•对 话

常用句在真实场景下的使用，帮助学习者理解句子的意思，并学会使用和应答。

•DIY

帮助读者进一步灵活应用每个句子，DIY 栏目提供了几个替换练习。

•注 释

包括语法解释、中外语言对比、生活常识和中国文化等方面的内容，帮助读者了解中国文化，促进语言学习。

编者

The "Experiencing Chinese 100" series contains phrases pertaining to living, studying, traveling, sports, popular Chinese idiom, culture communication, official communication, business communication and many more areas of interest. This book is "Experiencing Chinese 100 (Living in China)".

Special Features:

This book is divided into 14 different sections including greetings, time, shopping, dining, family & job, making a call, transportation, directions, health & feelings, leisure, weather, housework, personal banking, and services. Under each topic, the sentences are practical, easily put together, and useful in many different contexts. Mastery of the contexts of this book will allow the learners to progress to a higher level of study.

All the sentences are written in Chinese and Pinyin with English translations and annotations. In addition, the book contains the Notes written in English for the reader's convenience.

Throughout the book, there are many photographs and illustrations related to the phrases and dialogs. They are designed to help the readers develop a deeper understanding of China.

The appendix includes 12 Chinese Years of Animals, Eight Cuisines, Conversion Tables and Emergency Phone Numbers.

Structure:

Frequently Used Sentences (FUS), Conversation, DIY and Notes.

• **FUS:** There are a total of 100 sentences, each written in both Chinese characters and Pinyin, accompanied by an English translation and clear grammar explanations.

• **Conversation:** Placing FUS in a realistic setting allows the readers to better understand the meaning, usage and appropriate responses.

• **DIY:** After each sentence, DIY provides several exercises for the readers to practice appropriate usage.

• **Notes:** This section includes grammar explanations, in-depth comparisons of Chinese and English, and the knowledge of Chinese daily life and culture.

目录 Contents

你 好 ！
Nǐ hǎo!

Hello!

● 你 好 ！
Nǐ hǎo!

● 你 好 ！
Nǐ hǎo!

● Hello!
● Hello!

_____ 好!
hǎo

您 *pron.*
nín
a respectful form of "you"

你们 *pron.*
nǐmen
you (a plural form)

大家 *n.*
dàjiā
everybody

NOTES

"Nǐ hǎo" is a very popular greeting. When greeting two or more people, you may say "nǐmen hǎo". On formal occasions, you may use "nín hǎo".

您贵姓？
Nín guì xìng?

May I know your name?

● **您贵姓？**
Nín guì xìng?

● **我姓宋，叫宋丽丽。**
Wǒ xìng Sòng, jiào Sòng Lìli.

○ May I know your name?

● My surname is Song. I'm called Song Lili.

您 贵 姓?
Nín guì xìng?

我 姓 _____ ，**叫** _____ 。
wǒ xìng   jiào

张华 *n.*
Zhāng Huá

a Chinese name

王大伟 *n.*
Wáng Dàwěi

a Chinese name

约翰 · 马丁 *n.*
Yuēhàn   Mǎdīng

John Martin

NOTES

The word "guì" in the sentence of "Nín guì xìng?" is a very polite way of speaking. It shows the inquirer's respect for the other person. When replying to this question, do not use "guì", but rather "wǒ xìng...".

3

他叫什么？
Tā jiào shénme?

● 他叫什么？
Tā jiào shénme?

● 他叫张华。
Tā jiào Zhāng Huá.

● What's his name?
● His name is Zhang Hua.

6

_____ 叫什么?
jiào shénme

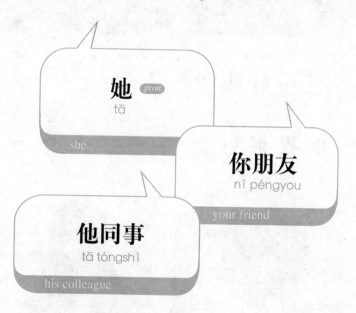

她 *pron.*
tā
she

你朋友
nǐ péngyou
your friend

他同事
tā tóngshì
his colleague

NOTES

The words for "he" and "she" sound exactly the same in Chinese. They differ only in written characters. The pronouns "he" and "him" are both "tā" in Chinese, and "wǒ" serves both as "I" and "me".

你 好 吗 ？
Nǐ hǎo ma?

How are you?

- 你 好 吗 ？
  Nǐ hǎo ma?

- 我 很 好 。
  Wǒ hěn hǎo.

○ How are you?

● I'm fine.

8

_____ 好吗？
hǎo ma

你妈妈
nǐ māma

your mother

你爸爸
nǐ bàba

your father

你孩子
nǐ háizi

your child

NOTES

"Ma" is a common question word. It appears at the end of a sentence to make the sentence interrogative. In Chinese, statement and question have the same word order.

9

我 很 好 ， 你 呢 ？
Wǒ hěn hǎo, nǐ ne?

I'm fine, and you?

● **你 好 吗 ？**
Nǐ hǎo ma?

● **我 很 好 ， 你 呢 ？**
Wǒ hěn hǎo, nǐ ne?

● **我 也 很 好 。**
Wǒ yě hěn hǎo.

● How are you?
● I'm fine, and you?
● I'm fine, too.

我很 _____，你呢？
wǒ hěn nǐ ne

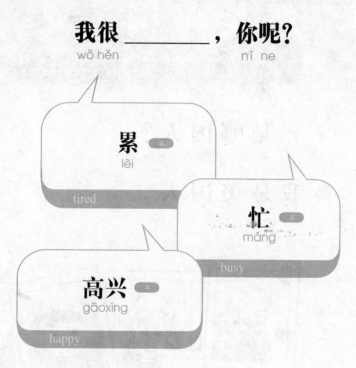

累
lèi

a.

tired

忙
máng

a.

busy

高兴
gāoxìng

a.

happy

NOTES

"Nǐ ne" is used to ask about the interlocutor. When asking about a third party's situation, "nǐ" may be replaced by an appropriate word such as "nǐ māma" (your mother), "nǐ péngyou" (your friend). The corresponding phrase would thus be "nǐ māma ne" (how about your mother) or "nǐ péngyou ne" (how about your friend).

您 是 哪 国 人 ？
Nín shì nǎ guó rén?

● 您 是 哪 国 人 ？
Nín shì nǎ guó rén?

● 我 是 美 国 人 。
Wǒ shì Měiguórén.

● What's your nationality?
● I'm American.

＿＿＿＿＿＿ 是哪国人？
shì　nǎ guó rén

他们 *pron.*
tāmen

they

李 先 生
Lǐ xiānsheng

Mr. Li

王 小 姐
Wáng xiǎojiě

Miss Wang

NOTES

　　"Nǎ guó rén" is a phrase used to ask one's nationality. When asking about another's hometown, you may use "nǎr de rén".

13

我是英国人。
Wǒ   shì   Yīngguórén.

I'm British.

● 您是美国人吗？
Nín   shì   Měiguórén   ma?

● 不是，我是英国人。
Bú   shì,   wǒ   shì   Yīngguórén.

● Are you American?
● No, I'm British.

我是 _____ 。
wǒ shì

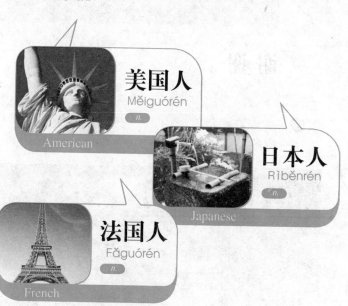

美国人
Měiguórén
_n._

American

日本人
Rìběnrén
_n._

Japanese

法国人
Fǎguórén
_n._

French

A country name plus "rén" means one's nationality. For instance, "Yīngguó" (U.K.) is a country's name, adding "rén" turns it into a statement of nationality. The name of a place plus "rén" shows one's hometown, such as " Niǔyuērén" (New Yorker).

谢 谢 。
Xièxie.
Thanks.

● 谢 谢 。
Xièxie.

● 不 客 气 。
Bú   kèqi.

● Thanks.
● You're welcome.

谢谢。
Xièxie.

_____。

不用谢
bú yòng xiè

It's my pleasure.

不谢
bú xiè

No thanks.

没什么
méi shénme

That's it.

"Xièxie" is the most popular way of saying "thanks". We may say "xièxie nǐ" (thank you) or "duō xiè" (thanks a lot) as well.

9

再 见 。

Zàijiàn.

Good-bye.

● 再 见 。
Zàijiàn.

● 再 见 。
Zàijiàn.

● Good-bye.
● Good-bye.

_____ 见。
jiàn

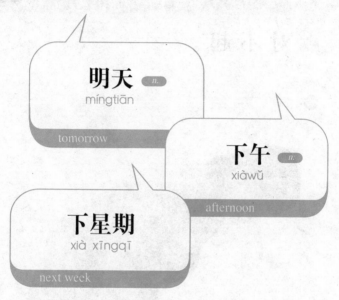

明天 _n._
míngtiān

tomorrow

下午 _n._
xiàwǔ

afternoon

下星期
xià xīngqī

next week

NOTES

When you want to make an appointment with someone at a certain time, you may use a time word plus "jiàn", as in "míngtiān jiàn" (see you tomorrow). If you want to make an appointment with someone in a certain place, you may use a place word plus "jiàn", as in "gōngyuán ménkǒu jiàn" (see you at the entrance of the park).

对 不 起。
Duìbuqǐ.

I'm sorry.

对不起。
Duìbuqǐ.

没关系。
Méiguānxi.

I'm sorry.

It doesn't matter.

对不起。
Duìbuqǐ.

_____。

没什么
méi shénme

It's nothing.

不要紧
bū yàojǐn

It doesn't matter.

没事儿
méi shìr

That's it.

NOTES

Besides expressing an apology, "duìbuqǐ" may also mean "excuse me". For instance, when you are buying a clothes, you may speak to the shop assistant, "Duìbuqǐ, wǒ xiǎng kānkan nà jiān yīfu." (Excuse me, may I have a look at that clothes?)

现 在 六 点 。

Xiànzài liù diǎn.

It's now six o'clock.

● 现 在 几 点 ？
Xiànzài jǐ diǎn?

● 现 在 六 点 。
Xiànzài liù diǎn.

● What time is it now?
● It's now six o'clock.

现在 _____。
xiànzài

六点零五分
liù diǎn líng wǔ fēn

6:05

六点一刻
liù diǎn yí kè

6:15

六点半
liù diǎn bàn

6:30

NOTES

6:15 can be referred to as "liù diǎn yí kè"(a quarter past six) or "liù diǎn shí wǔ" (six fifteen). 6:55 can be referred to as "liù diǎn wǔshíwǔ" (six fifty-five), or "chà wǔ fēn qī diǎn" (five to seven).

12

我 七 点 回 家 。
Wǒ qī diǎn huí jiā.

I am going home at 7 o'clock.

● 你 几 点 回 家 ？
Nǐ jǐ diǎn huí jiā?

● 我 七 点 回 家 。
Wǒ qī diǎn huí jiā.

● When are you going home?
● I am going home at 7 o'clock.

24

我七点 _____ 。
wǒ qī diǎn

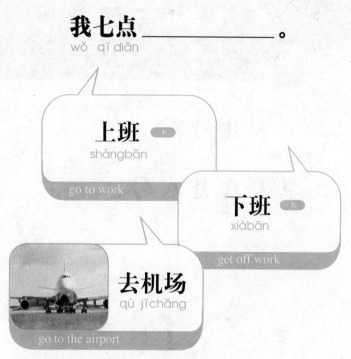

上班 v.
shàngbān

go to work

下班 v.
xiàbān

get off work

去机场
qù jīchǎng

go to the airport

NOTES

In Chinese, when being used as adverbial modifier, the time word must be placed before the verb. It is thus correct to say "wǒ qī diǎn xiàbān" (I get off work at seven), but incorrect to say "wǒ xiàbān qī diǎn".

今 天 几 号 ？
Jīntiān　　jǐ　hào?

What's the date today?

● 今 天 几 号 ？
Jīntiān　　jǐ　hào?

● 今 天 八 月 八 号 。
Jīntiān　bā　yuè　bā　hào.

● What's the date today?
● Today is the 8th of August.

_____ 几号?
jǐ hào

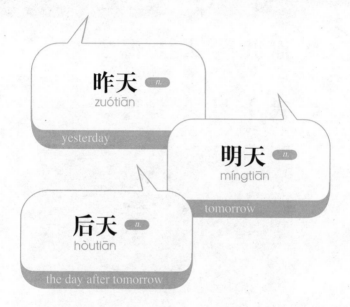

昨天 *n.*
zuótiān
yesterday

明天 *n.*
míngtiān
tomorrow

后天 *n.*
hòutiān
the day after tomorrow

NOTES

   In Chinese, when telling the time, we move from large time units to small time units, i.e. from year to month to day. For example, "ērlínglíngliù nián shíyī yuè shíbā rì" (the 18th of November, 2006).

我 十 号 去 上 海 。

Wǒ shí hào qù Shànghǎi.

I am going to Shanghai on the 10th.

你 几 号 去 上 海 ？

Nǐ jǐ hào qù Shànghǎi?

我 十 号 去 上 海 。

Wǒ shí hào qù Shànghǎi.

When are you going to Shanghai?

I am going to Shanghai on the 10th.

我十号＿＿＿＿＿＿＿。
wǒ shí hào

来北京
lái Běijīng
come to Beijing

回国
huí guó
return to one's country

出差 v.
chūchāi
be on a business trip

NOTES

　　When referring to the date, "hào" is often used in conversation and "rì" is often used in writing. "Hào" can be used not only as "date", but also as "number", for example, "shǒujī hào" (cellphone number), "fángjiān hào" (room number), etc.

今 天 星 期 一 。
Jīntiān Xīngqīyī.

Today is Monday.

● 今 天 星 期 几 ？
　Jīntiān xīngqī jǐ?

● 今 天 星 期 一 。
　Jīntiān Xīngqīyī.

● What day is today?
● Today is Monday.

今天 ＿＿＿＿＿＿＿＿。
jīntiān

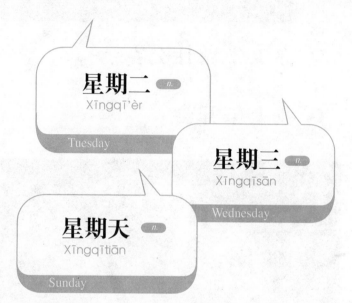

星期二 *n.*
Xīngqī'èr

Tuesday

星期三 *n.*
Xīngqīsān

Wednesday

星期天 *n.*
Xīngqītiān

Sunday

"Xīngqītiān" is also referred to as "Xīngqīrì". Chinese people also often say "Zhōuyī" (Monday), "Zhōu'èr" (Tuesday), "Zhōusān" (Wednesday)…"Zhōurì" (Sunday)" or "Lǐbàiyī" (Monday)… "Lǐbàitiān" (Sunday)".

16

你上午做什么？
Nǐ shàngwǔ zuò shénme?

What are you going to do in the morning?

● **你上午做什么？**
Nǐ shàngwǔ zuò shénme?

● **我上午开会。**
Wǒ shàngwǔ kāihuì.

○ What are you going to do in the morning?

● I am going to have a meeting.

32

你 ＿＿＿＿＿＿＿＿ 做什么?
nǐ   zuò shénme

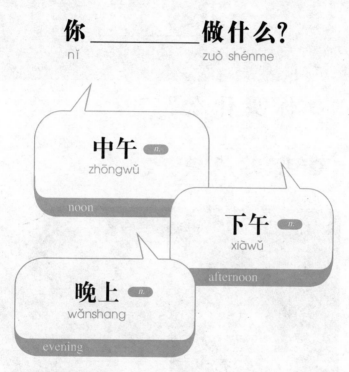

中午 _n._
zhōngwǔ

noon

下午 _n._
xiàwǔ

afternoon

晚上 _n._
wǎnshang

evening

NOTES

In Chinese, "zǎoshang" normally refers to the time before 8 am; "shàngwǔ" is from 8 am to 12 am; "zhōngwǔ" is from 12 am to 2 pm; and "xiàwǔ" is from 2 pm to 6 or 7 pm.

我买苹果。

Wǒ mǎi píngguǒ.

I want to buy some apples.

● 你买什么？
　 Nǐ mǎi shénme?

● 我买苹果。
　 Wǒ mǎi píngguǒ.

○ What do you want to buy?
● I want to buy some apples.

我买 _____。
wǒ mǎi

西瓜
xīguā
n.
watermelon

草莓
cǎoméi
n.
strawberry

葡萄
pútao
n.
grape

NOTES

"Nǐ mǎi shénme?" can be replaced by "Nǐ xiǎng mǎi shénme?". One may also hear "Nín lái diǎnr shénme?" in markets and small stores.

黄瓜多少钱一斤？
Huángguā duōshao qián yì jīn?

How much is it for one jin of cucumbers?

● 黄瓜多少钱一斤？
Huángguā duōshao qián yì jīn?

● 一块钱一斤。
Yí kuài qián yì jīn.

● How much is it for one jin of cucumbers?
● One kuai per jin.

_____多少钱一斤？
duōshao qián yì jīn

胡萝卜
húluóbo
n.
carrot

西兰花
xīlánhuā
n.
broccoli

蘑菇
mógu
n.
mushroom

NOTES

Apart from "...duōshao qián yì jīn?", "...duōshao qián yí ge?" (How much does one cost?) "...duōshao qián?" (How much does it cost?) and "...zěnme mài?" (How to sell...) are also often used to ask price.

太贵了，便宜点儿，行吗？
Tài guì le, piányi diǎnr, xíng ma?

That's too expensive. Can you make it cheaper?

● 太贵了，便宜点儿，行吗？
Tài guì le, piányi diǎnr, xíng ma?

● 不能便宜了。
Bù néng piányi le.

○ That's too expensive. Can you make it cheaper?

● It can not be made cheaper.

太贵了，便宜点儿，_____？
tài guì le　piányi diǎnr

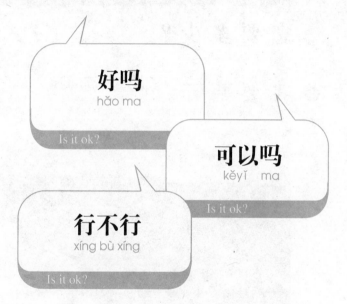

好吗
hǎo ma

Is it ok?

可以吗
kěyǐ ma

Is it ok?

行不行
xíng bù xíng

Is it ok?

NOTES

Except in some large shops, one can bargain in most Chinese markets, "Piányi diǎnr, xíng ma?"is commonly used, and"Néng piányi diǎnr ma?"is also often used. The seller usually offers a cheaper price. If you still think it is expensive, you can keep asking "Zài piányi diǎnr, xíng ma?" (Can you make it much cheaper?)

39

我　要　两　斤。
Wǒ　　yào　　liǎng　　jīn.

I want two jin.

您 要 多 少？
Nín　yào　duōshao?

我 要 两 斤。
Wǒ　yào　liǎng　jīn.

How much do you want?

I want two jin.

我要_____。
wǒ yào

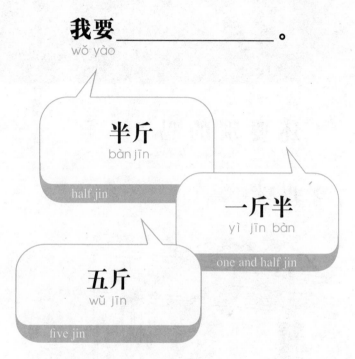

半斤
bàn jīn

half jin

一斤半
yì jīn bàn

one and half jin

五斤
wǔ jīn

five jin

NOTES

Both "èr" and "liǎng" indicate "two". When "two" is used before a measure word to indicate the quantity of some objects, "liǎng" should be used, e.g. "liǎng jīn píngguǒ" (two jin of apples), "liǎng gè rén" (two people). The numbers "twelve, twenty, twenty-two" should be pronounced "shí'èr, èrshí, èrshí'èr".

再来两斤香蕉。
Zài lái liǎng jīn xiāngjiāo.

I'd like to buy two more jin of bananas.

● 还要别的吗？
Hái yào biéde ma?

● 再来两斤香蕉。
Zài lái liǎng jīn xiāngjiāo.

○ What else do you want?
● I'd like to buy two more jin of bananas.

再来＿＿＿＿＿＿＿。
zài lái

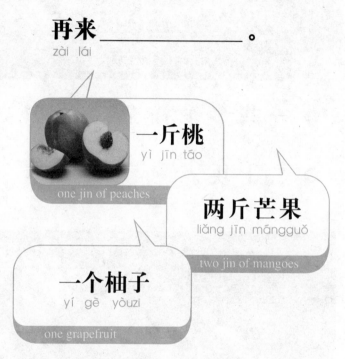

一斤桃
yì jīn táo

one jin of peaches

两斤芒果
liǎng jīn mángguǒ

two jin of mangoes

一个柚子
yí gè yòuzi

one grapefruit

NOTES

The "jīn" here is used as a measure word. In modern Chinese, a number cannot be used alone before a noun; it should usually be combined with a measure word inserted between the number and the noun. Each noun has its specific measure word and cannot be combined freely with others. "Gè" is the most commonly used one.

22

一共多少钱？
Yí gòng duōshao qián?

How much does it cost altogether?

- 一共 多少 钱 ？
  Yí gòng duōshao qián?

- 二 十 块 。
  Èrshí kuài.

How much does it cost altogether?

Twenty kuai.

一共 _____?
yígòng

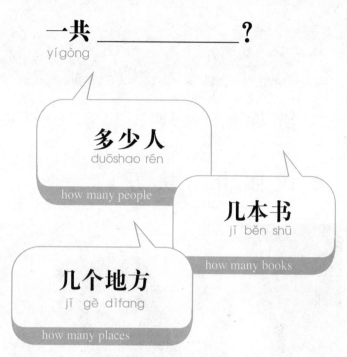

多少人
duōshao rén

how many people

几本书
jǐ běn shū

how many books

几个地方
jǐ gè dìfang

how many places

NOTES

Both"duōshao" and "jǐ" are commonly used to ask the numbers. "Jǐ" is normally used to ask about numbers smaller than ten, and only for countable nouns. A measure word is used between "jǐ" and the noun. No measure word needs to be attached to"duōshao". However, in the questions "Jǐ diǎn le?"(What time is it?) or "Jǐ suì le?" (How old are you?), "jǐ" can not be replaced by"duōshao".

23

给 你 五 十 块。
Gěi nǐ wǔshí kuài.

I give you 50 kuai.

● 给 你 五 十 块。
Gěi nǐ wǔshí kuài.

● 找 你 十 二 块 五。
Zhǎo nǐ shí'èr kuài wǔ.

CURRENCY EXCHANGE

● I give you 50 kuai.
● I give you 12.50 as change.

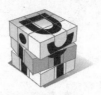

给你 _____ 块。
gěi nǐ   kuài

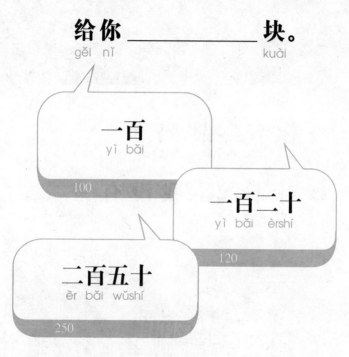

一百
yì bǎi
100

一百二十
yì bǎi èrshí
120

二百五十
èr bǎi wǔshí
250

NOTES

In conversational Chinese, the Renminbi (RMB) is the "kuài, máo, fēn", e.g. "shí'èr kuài wǔ máo liù (fēn)" (12.56 kuai), and the last unit often need not be named. In written Chinese, "yuán, jiǎo, fēn" are normally used, e.g. "shí'èr yuán wǔ jiǎo liù fēn" (12.56 yuan).

我 没 有 零 钱 。
Wǒ   méiyǒu   língqián.

I don't have small change.

● 你 有 零 钱 吗 ？
  Nǐ yǒu língqián ma?

● 对 不 起 ， 我 没 有 零 钱 。
  Duìbuqǐ,   wǒ méiyǒu língqián.

● Do you have small change?
● Sorry, I don't have small change.

我没有 _____ 。
wǒ méiyǒu

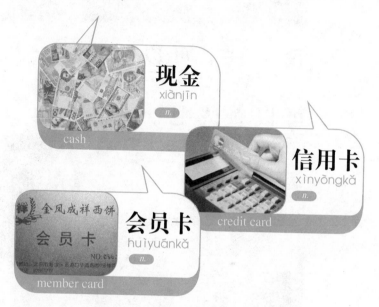

现金
xiǎnjīn
n.

cash

信用卡
xìnyòngkǎ
n.

credit card

金凤成祥西饼
会员卡
NO: 0467

会员卡
huìyuánkǎ
n.

member card

NOTES

In Chinese, "bù" forms a negative, e.g.
"Nǐ mǎi píngguǒ ma? Wǒ bù mǎi píngguǒ."
(Do you want to buy apples? No, I don't.) "Hái yào
biéde ma? Bú yào le." (Do you want anything
else? No, I don't.) The negative form of "yǒu" (have)
is " méiyǒu" (have not).

25

我试试，可以吗？
Wǒ shìshi, kěyǐ ma?

May I try it?

● 我 试 试 ， 可 以 吗 ？
Wǒ shìshi, kěyǐ ma?

● 可 以 ， 试 吧 。
Kěyǐ, shì ba.

● May I try it?
● Yes , you may try it.

50

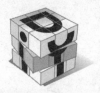
我 _____，可以吗？

wǒ   kěyǐ   ma

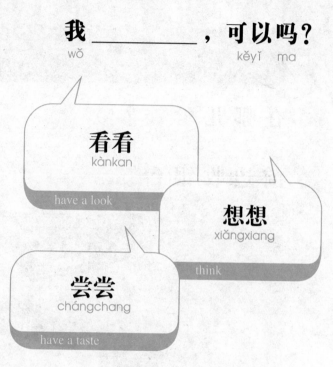

看看
kànkan
have a look

想想
xiǎngxiang
think

尝尝
chángchang
have a taste

NOTES

In Chinese, some verbs may be repeated to make a sentence sound soft or informal, to indicate that the action is of very short duration, or to indicate that what is done is just for trial purposes.

51

26

在 哪 儿 付 钱 ？

Zài nǎr fùqián?

Where shall I pay?

● **在 哪 儿 付 钱 ？**
　 Zài　 nǎr　 fùqián?

● **前 边 收 银 台 。**
　 Qiánbian　 shōuyíntái.

● Where shall I pay?
● At the cash desk in front.

在哪儿 _____ ?
zài nǎr

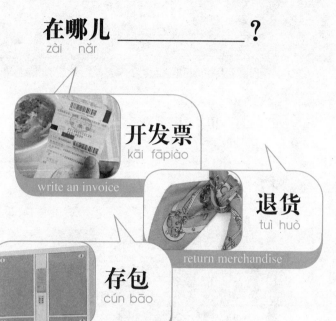

开发票
kāi fāpiào

write an invoice

退货
tuì huò

return merchandise

存包
cún bāo

deposit

In China, one normally cannot bargain at large deparment stores which accept both cash and credit cards.

27

打 折 吗 ？
Dǎzhé   ma?

Is there any discount?

● 打 折 吗 ？
Dǎzhé   ma ?

● 打 八 折 。
Dǎ   bā   zhé.

● Is there any discount?
● 20 % off.

_____ 吗?
　　　　　　　　　ma

优惠　_a._
yōuhuì
discount

能便宜
néng piányi
can be cheaper

送货
sòng huò
delivery

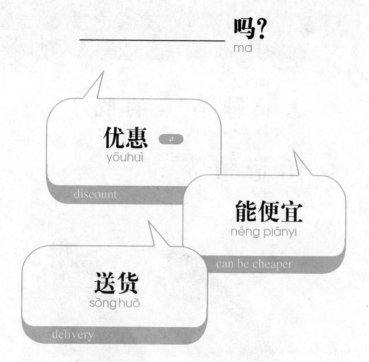

NOTES

　　　"Dǎ bā zhé" in Chinese means "20% off". "35% off" is "dǎ liù wǔ zhé". "42% off" is "dǎ wǔ bā zhé"。

28

这双鞋有黑的吗？

Zhè shuāng xié yǒu hēi de ma?

Does this shoe come in black?

- 这 双 鞋 有 黑 的 吗 ？
  Zhè shuāng xié yǒu hēi de ma?

- 有，请 稍 等 。
  Yǒu, qǐng shāo děng.

- Does this shoe come in black?
- Yes, wait a moment please.

这 双 鞋 有＿＿＿＿的 吗？
zhè shuāng xié　yǒu　　　　　　de　ma

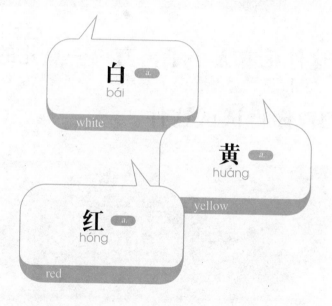

白 *a.*
bái
white

黄 *a.*
huáng
yellow

红 *a.*
hóng
red

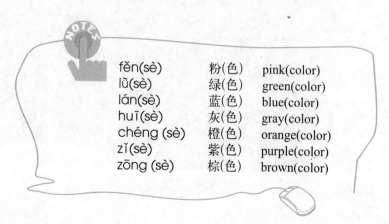

NOTES

fěn(sè)	粉(色)	pink(color)
lǜ(sè)	绿(色)	green(color)
lán(sè)	蓝(色)	blue(color)
huī(sè)	灰(色)	gray(color)
chéng (sè)	橙(色)	orange(color)
zǐ(sè)	紫(色)	purple(color)
zōng (sè)	棕(色)	brown(color)

29

有大一点儿的吗？
Yǒu dà yì diǎnr de ma?

Is there a larger one?

● 这件毛衣太小了，有大一点儿的吗？
Zhè jiàn máoyī tài xiǎo le, yǒu dà yì diǎnr de ma?

● 有，你再试试这件。
Yǒu, nǐ zài shìshi zhè jiàn.

○ This sweater is too small. Is there a larger one?

● Yes, please try this one.

有_____一点儿的吗？
yǒu   yìdiǎnr de ma

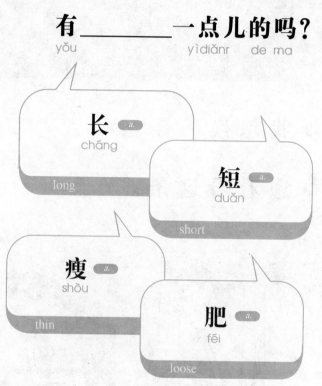

长 *a.*
cháng
long

短 *a.*
duǎn
short

瘦 *a.*
shōu
thin

肥 *a.*
féi
loose

NOTES

In Chinese, "dà" means "big" and "xiǎo" means "small", and together they form the noun "dàxiǎo", which means "size". Similar constructions include the combination of "cháng" (long) and "duǎn" (short), to form "chángduǎn" (the length), as well as the combination of "féi" (loose) and "shōu" (thin, tight) to form "féishòu" (the width).

59

30

我 想 换 一 条 裤 子。
Wǒ xiǎng huàn yì tiáo kùzi.

I want to change these trousers.

● 我 想 换 一 条 裤 子。
Wǒ xiǎng huàn yì tiáo kùzi.

● 您 看 看 这 条。
Nín kànkan zhè tiáo.

● I want to change these trousers.
● You can try these.

我 想 换 _____ 。
wǒ xiǎng huàn

一件衬衫
yí jiàn chènshān

a shirt

一条裙子
yì tiáo qúnzi

a skirt

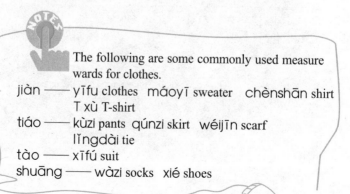

一条领带
yì tiáo lǐngdài

a tie

NOTES

The following are some commonly used measure wards for clothes.

jiàn —— yīfu clothes máoyī sweater chènshān shirt
         T xù T-shirt
tiáo —— kùzi pants qúnzi skirt wéijīn scarf
         lǐngdài tie
tào —— xīfú suit
shuāng —— wàzi socks xié shoes

31

来一个宫保鸡丁。
Lái yí gè Gōngbǎo Jīdīng.

I'd like a fried diced chicken with peanuts.

● **请点菜**。
Qǐng diǎn cài.

● **来一个宫保鸡丁**。
Lái yí gè Gōngbǎo Jīdīng.

● Please order food.
● I'd like a fried diced chicken with peanuts.

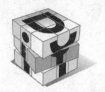

来 ＿＿＿＿＿＿＿ 。
lái

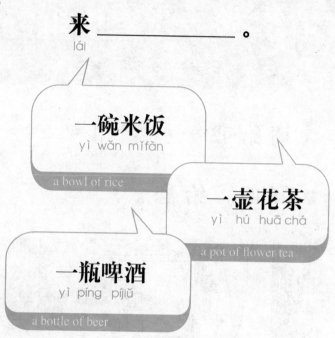

一碗米饭
yì wǎn mǐfàn
a bowl of rice

一壶花茶
yì hú huā chá
a pot of flower tea

一瓶啤酒
yì píng píjiǔ
a bottle of beer

NOTES

In conversational Chinese shops, especially restaurants, "lái" is often used to replace "mǎi" (buy) or "yào" (want).

32

请给我一张餐巾纸。

Qǐng gěi wǒ yì zhāng cānjīnzhǐ.

Please give me a napkin.

● 请给我一张餐巾纸。

Qǐng gěi wǒ yì zhāng cānjīnzhǐ.

● 好的。给您。

Hǎode. Gěi nín.

● Please give me a napkin.

● OK. Here you are.

请给我 _____ 。
qǐng gěi wǒ

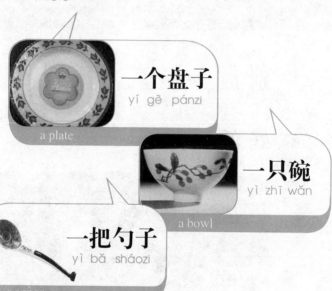

一个盘子
yí gè pánzi

a plate

一只碗
yì zhī wǎn

a bowl

一把勺子
yì bǎ sháozi

a spoon

NOTES

Other tableware includes "yì bǎ chāzi" (a fork), "yì bǎ dāozi" (a knife) and "yì shuāng kuàizi" (a pair of chopsticks).

65

33

别 放 味 精 。
Bié fàng wèijīng.

Don't add MSG.

- **别 放 味 精 。**
  Bié fàng wèijīng.

- **好 的 。**
  Hǎode.

- Don't add MSG.
- OK.

别放 —————————— 。
bié fàng

香菜
xiāngcài
n.
coriander

辣椒
làjiāo
n.
pepper

姜
jiāng
n.
jinger

"Bié" can also say "bú yào". It is the imperative "don't".

67

能 快 点 儿 吗 ？
Néng kuài diǎnr ma?

Can you make it faster?

● **服务员，我的菜还没上，能快点儿吗？**
Fúwùyuán, wǒ de cài hái méi shàng, néng kuài diǎnr ma?

● **我去看看。**
Wǒ qù kànkan.

● Waitress, my dishes haven't been served yet. Can you make it faster?
● I'll go to have a look.

能 ＿＿＿＿＿＿ 吗？
néng　　　　　　 ma

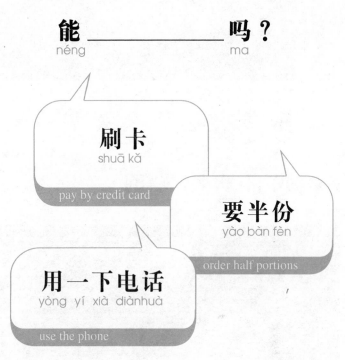

刷卡
shuā kǎ

pay by credit card

要半份
yào bàn fèn

order half portions

用一下电话
yòng yí xià diànhuà

use the phone

NOTES

　　A customer does not need to pay a tip in Chinese restaurant. Of course, if a customer is satisfied with the service, he can pay a tip to express his thankness.

35

我 喜 欢 吃 辣 的 。
Wǒ xǐhuan chī là de.

I like the spicy food.

● 你喜欢吃什么菜？
Nǐ xǐhuan chī shénme cài?

● 我喜欢吃辣的。
Wǒ xǐhuan chī là de.

○ What kind of food do you like?
● I like the spicy food.

70

我喜欢吃 ＿＿＿＿＿＿ 的。
wǒ xǐhuan chī   de

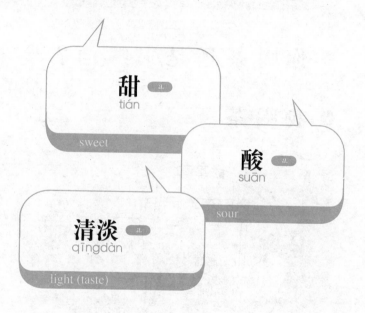

甜 *a.*
tián
sweet

酸 *a.*
suān
sour

清淡 *a.*
qīngdàn
light (taste)

NOTES

The top eight Chinese cuisine styles are: Shandong cuisine, Sichuan cuisine, Guangdong cuisine, Jiangsu cuisine, Zhejiang cuisine, Fujian cuisine, Hunan cuisine and Anhui cuisine. For example, "Mápó Dòufu" (fired beancurd with chilli sause) is from Sichuan cuisine.

71

36

你喝茶还是喝啤酒？
Nǐ hē chá háishì hē píjiǔ?

Will you drink tea or beer?

● **你 喝 茶 还 是 喝 啤 酒 ？**
Nǐ hē chá háishì hē píjiǔ?

● **我 喝 茶 。**
Wǒ hē chá.

● Will you drink tea or beer?
● I drink tea.

你 ＿＿＿ 还是 ＿＿＿ ？
nǐ　　　　háishì

吃米饭
chī mǐfàn

eat rice

吃炒面
chī chǎomiàn

eat fried noodle

吃饺子
chī jiǎozi

eat dumplings

吃炒饭
chī chǎofàn

eat fried rice

NOTES

"Háishì" and "huòzhě" both mean "or", but "háishì" used in an interrogative sentence and "huòzhě" used in a statement. For example: "Nǐ Xīngqīyī qù háishì Xīngqī'èr qù?" (Will you go on Monday or Tuesday?), "Wǒ Xīngqīyī huòzhě Xīngqī'èr qù." (I will go there on Monday or Tuesday.)

37

结 账。
Jiézhàng.

Bill, please.

小 姐，结 账。
Xiǎojiě, jiézhàng.

一 共 五 十 块。
Yí gòng wǔshí kuài.

○ Waitress, bill please.
● Fifty kuai, altogether.

小姐，——————————。
xiǎojiě

买单
mǎidān

pay the bill

算账
suànzhàng

pay the bill

打包
dǎbāo

take away

NOTES

In restaurants, the waiter or waitress can be addressed as "fúwùyuán". In some parts of China, "xiǎojiě" (Miss) can be used to call waitresses.

你 家 有 几 口 人 ？
Nǐ   jiā   yǒu   jǐ   kǒu   rén?

How many people are there in your family?

- 你 家 有 几 口 人 ？
  Nǐ   jiā   yǒu   jǐ   kǒu   rén?

- 我 家 有 五 口 人 。
  Wǒ   jiā   yǒu   wǔ   kǒu   rén.

- How many people are there in your family?
- There are five people in my family.

——————— 有几口人？
yǒu jǐ kǒu rén

小 张 家
Xiǎo Zhāng jiā

Xiao Zhang's family

你 姐 姐 家
nǐ jiějie jiā

your elder sister's family

他 家
tā jiā

his family

NOTES

In Chinese, "jǐ kǒu rén" is only used to ask about the number of people in a family. In other occasion, when the number of people is asked, the measure word "gè" should be used.

39

你家有什么人？
Nǐ jiā yǒu shénme rén?

Who are your family members?

● 你家有什么人？
Nǐ jiā yǒu shénme rén?

● 爸爸、妈妈、哥哥和我。
Bàba, māma, gēge hé wǒ.

● Who are your family members?
● My father, mother, elder brother and I.

爸爸、妈妈、＿＿＿＿和我。
bàba　　māma　　　　　　　hé　wǒ

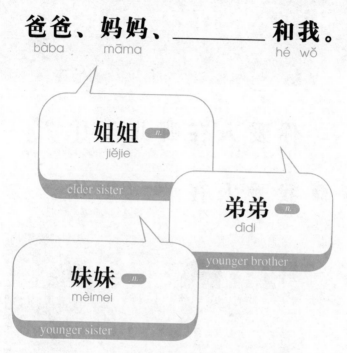

姐姐 _n._
jiějie
elder sister

弟弟 _n._
dìdi
younger brother

妹妹 _n._
mèimei
younger sister

NOTES

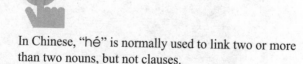

In Chinese, "hé" is normally used to link two or more than two nouns, but not clauses.

40

我爱人在公司工作。
Wǒ àiren zài gōngsī gōngzuò.

My husband (wife) works in a company.

● 你爱人在哪儿工作？
Nǐ àiren zài nǎr gōngzuò?

● 我爱人在公司工作。
Wǒ àiren zài gōngsī gōngzuò.

○ Where does your husband (wife) work?
● My husband (wife) works in a company.

我爱人在 _____ 工作。
wǒ àiren zài gōngzuò

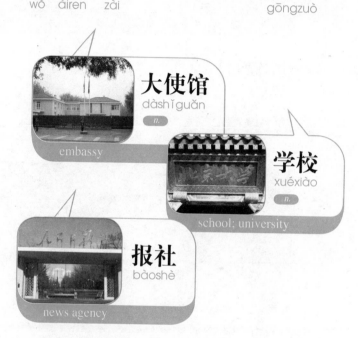

大使馆
dàshǐguǎn
n.

embassy

学校
xuéxiào
n.

school; university

报社
bàoshè

news agency

NOTES

"Àiren" can refer to either husband or wife. One can use "zhàngfu" for husband and "qīzi"for wife. Nowadays young people often use "lǎogōng"for husband and "lǎopo"for wife.

41

我 是 外 交 官 。
Wǒ shì wàijiāoguān.

I am a diplomat.

● 你 做 什 么 工 作 ？
Nǐ zuò shénme gōngzuò?

● 我 是 外 交 官 。
Wǒ shì wàijiāoguān.

● What do you do?
● I am a diplomat.

我是 ＿＿＿＿＿＿。
wǒ shì

老师
lǎoshī
n.
teacher

公司职员
gōngsī zhíyuán
company staff

记者
jìzhě
n.
journalist

NOTES

In Chinese, when asking about professions, one can say "Nǐ zuò shénme gōngzuò?" (What do you do?) or "Nǐ shì zuò shénme gōngzuò de?" (What do you do?). The answer is "wǒ shì... " (I am...).

42

你 今 年 多 大 ？
Nǐ   jīnnián   duō   dà?

How old are you this year?

● 你 今 年 多 大 ？
Nǐ   jīnnián   duō   dà?

● 我 今 年 三 十 岁 。
Wǒ   jīnnián   sānshí   suì.

● How old are you this year?
● I am 30 this year.

今年多大？
jīnnián duō dà

你丈夫
nǐ zhàngfu
your husband

你男朋友
nǐ nánpéngyou
your boyfriend

你女朋友
nǐ nǔpéngyǒu
your girlfriend

NOTE

In Chinese, when asking about people's age, one uses different expressions according to different ages. For example:

"Nín duō dà niánjì?"	for the elderly
"Nǐ jǐ suì?"	for children under ten
"Nǐ duō dà?"	for adults

43

她 结 婚 了 吗 ？
Tā jiéhūn le ma?

Is she married?

● 她 结 婚 了 吗 ？
Tā jiéhūn le ma?

● 还 没 有 。
Hái méiyǒu.

○ Is she married?
○ Not yet.

她 _____ 了吗？
tā   le ma

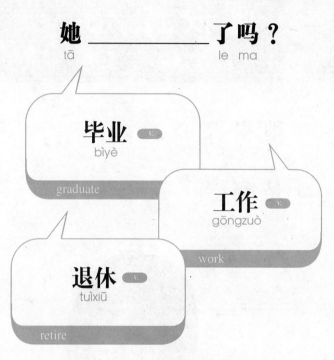

毕业 *v.*
bìyè
graduate

工作 *v.*
gōngzuò
work

退休 *v.*
tuìxiū
retire

NOTES

In Chinese, one should say "gēn…jiéhūn"(to marry somebody) instead of "jiéhūn…". "Tā jiéhūn sān nián le." means "It's been three years since he got married."

44

她 很 漂亮。
Tā hěn piàoliang.

She is beautiful.

● 她 很 漂亮。
Tā hěn piàoliang.

● 是 啊。
Shì a.

● She is beautiful.
● Yes.

她很 ＿＿＿＿＿ 。
tā hěn

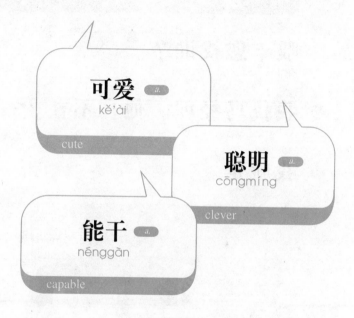

可爱 *a.*
kě'ài
cute

聪明 *a.*
cōngmíng
clever

能干 *a.*
nénggàn
capable

NOTES

　　An adjective can be used as predicate in Chinese. The verb "yǒu" and "shì" are not used before the adjective. For example: "I'm hungry" is "wǒ hěn è", but not "wǒ shì è".

45

他 在 不 在 ？
Tā　　zài　　bū　　zài?

Is he in?

● 喂！您找谁？
Wèi!　　Nín zhǎo shuí?

● 我找马经理。他在不在？
Wǒ zhǎo Mǎ　　jīnglǐ.　　　Tā zài bū zài?

● 我就是。
Wǒ jiù　shì.

○ Hello! Whom do you want to speak to?
● Manager Ma, please. Is he in?
○ He's speaking.

90

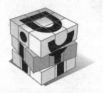

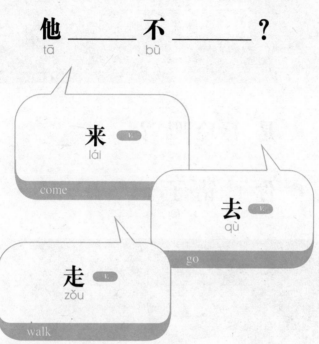

NOTES

Affirmative and negative forms of a verb or an adjective in Chinese can make an affirmative – negative question which functions as a question, without using "ma" at the end of the sentence.

46

你 打 错 了。

Nǐ dǎ cuò le.

You've got the wrong number.

● 是 王 玲 吗 ?

Shì Wáng Líng ma?

● 你 打 错 了。

Nǐ dǎ cuò le.

○ Is that Wang Ling speaking?

● You've got the wrong number.

你 _____ 错了。
nǐ   cuò le

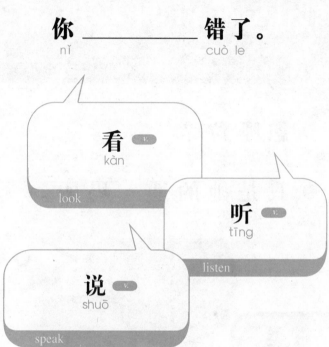

看 *v.*
kàn
look

听 *v.*
tīng
listen

说 *v.*
shuō
speak

NOTES

The word "dǎ" in Chinese has many meanings. Here are some most commonly used phrases with "dǎ": "dǎ diànhuà" (make a phone call), "dǎ zhāohu", (greet), "dǎ chē" (take a taxi), "dǎ tàijíquán" (play Taiji), "dǎ yóuxì" (play a game), "dǎ gāo'ěrfū qiú" (play golf), "dǎ zhēn" (have an injection), "dǎ zì" (type writing). Some common words also use "dǎ": "dǎsuàn" (plan), "dǎjià" (fight), "dǎzhé" (discount), "dǎyìn" (print), etc.

93

47

我是她的朋友玛丽。
Wǒ shì tā de péngyou Mǎlì.

This is her friend Mary speaking.

○ **您哪位？**
Nín nǎ wèi?

● **我是她的朋友玛丽。**
Wǒ shì tā de péngyou Mǎlì.

○ Who's speaking?
● This is her friend Mary speaking.

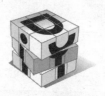

我 是 她 的 _____ 玛丽。
wǒ shì tā de　　　　　　　Mǎlì

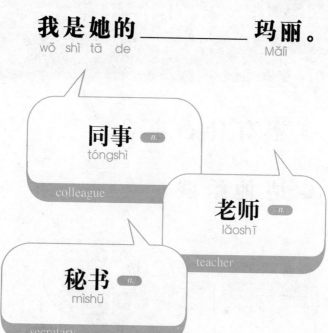

同事 *n.*
tóngshì
colleague

老师 *n.*
lǎoshī
teacher

秘书 *n.*
mìshū
secretary

NOTES

"Who's speaking?" in English should not be translated "Shuí zài shuōhuà?" (Who's speaking?), or "Shuí zài nàr?" (Who's there?), or "Nǐ shì shuí?" (Who are you?), but "Nín nǎ wèi?" (You are which person?) or "Nín nǎr?" (Where are you calling from?).

48

请他给我回电话。

Qǐng tā gěi wǒ huí diànhuà.

Please tell him to call me back.

● 您有什么事？
Nín yǒu shénme shì?

● 请他给我回电话。
Qǐng tā gěi wǒ huí diànhuà.

● May I help you?
● Please tell him to call me back.

请他给我 _____ 。
qǐng tā gěi wǒ

发传真
fā chuánzhēn

send fax

发电子邮件
fā diànzǐ yóujiàn

send E-mail

寄快件
jì kuàijiàn

send EMS

NOTES

"Huí diànhuà" in Chinese means "return a call, call back". Besides "huí diànhuà", one may also often hear the expressions such as "dǎ diànhuà" (make a call), "jiē diànhuà" (answer a call), etc.

49

我过一会儿再打吧。

Wǒ guò yíhuìr zài dǎ ba.

I'll call her later then.

● **要留言吗？**
Yào liúyán ma?

● **不用了，谢谢。我过一会儿再打吧。**
Bú yòng le, xièxie. Wǒ guò yíhuìr zài dǎ ba.

● Do you want to leave a message?
● No, thanks. I'll call her later then.

我 _____ 再打吧。
wǒ　　　　　　zài　dǎ　ba

十分钟以后
shí fēnzhōng yǐhòu

ten minutes later

半个小时以后
bàn gè xiǎoshí yǐhòu

half an hour later

下午三点以后
xiàwǔ sān diǎn yǐhòu

after 3:00 pm

NOTES

　　　　The adverb "zài" in Chinese is normally used to indicate the repetition of an action, but "zài" as used here expresses the speaker's unwillingness to do something at a given time. The speaker therefore wishes to postpone the deed till some future point. In such usage, time words are often used before "zài".

50

您的电话号码是多少？

Nín de diànhuà hàomǎ shì duōshao?

What is your telephone number?

● 您的电话号码是多少？
Nín de diànhuà hàomǎ shì duōshao?

● 58581352。
Wǔbāwǔbāyāosānwǔ'èr.

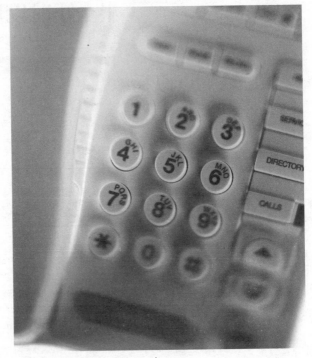

● What is your telephone number?

● 58581352.

您的 _____ 是多少？
nín de   shì duōshao

手机号
shǒujī hào

cellphone number

车牌号
chēpái hào

car number

护照号
hùzhào hào

passport number

NOTES

To ask one's telephone number in Chinese, one should say "Nín de diànhuà hàomǎ shì duōshao?" (How much is your telephone number?), instead of "Nín de diànhuà hàomǎ shì shénme?" (What is your telephone number?). "1" should be pronounced "yāo", instead of "yī", when it is used in a telephone number, room number, and car number, etc.

51

请问，去颐和园怎么走？
Qǐngwèn, qù Yíhéyuán zěnme zǒu?

Excuse me! How can I get to Summer Palace?

● **请问，去颐和园怎么走？**
Qǐngwèn, qù Yíhéyuán zěnme zǒu?

● **一直走。**
Yìzhí zǒu.

● Excuse me! How can I get to Summer Palace?
● Go straight ahead.

去 _____ 怎么走？
qù　　　　　　zěnme zǒu

故宫
Gùgōng
pn.

Forbidden City

雍和宫
Yōnghégōng
pn.

Lama Temple

红桥市场
Hóngqiáo Shìchǎng
pn.

Hongqiao Market

NOTES

　　"Excuse me"can not only be translated into "qǐngwèn", but also "duìbuqǐ" or "láojià". "Qǐngwèn" is used before a question. When you want to attract other's attention or ask for help from others, you can use "duìbuqǐ" or "láojià".

52

到十字路口往右拐。
Dào shízì lùkǒu wǎng yòu guǎi.

Turn to the right at the intersection.

● 往 哪 边 拐 ？
Wǎng nǎ biān guǎi?

● 到 十 字 路 口 往 右 拐 。
Dào shízì lùkǒu wǎng yòu guǎi.

● Which direction shall we go in?
● Turn to the right at the intersection.

到 _____ **往右拐。**
dào   wǎng yòu guǎi

红绿灯
hónglǜdēng

n.

traffic light

丁字路口
dīngzì   lùkǒu

T section

第二个路口
dì'èr   gè   lùkǒu

second intersection

> "Shízì lùkǒu" and "dīngzì lùkǒu" come from the font style of Chinese characters "shí" (十) and "dīng" (丁). When you ask for directions, you should not only know the meaning of "zuǒ" (left) and "yòu" (right), but also know how to say "dōng" (east), "xī" (west), "nán" (south), "běi" (north) as well, since many Chinese people are more familiar with these.

53

到了，就停这儿吧。
Dào le, jiù tíng zhèr ba.

Here we are. Stop here.

● 到 了 ， 就 停 这 儿 吧 。
Dào le, jiù tíng zhèr ba.

● 好 的 。
Hǎode.

○ -Here we are. Stop here.
● OK.

就停 _____ 吧。
jiù tíng   ba

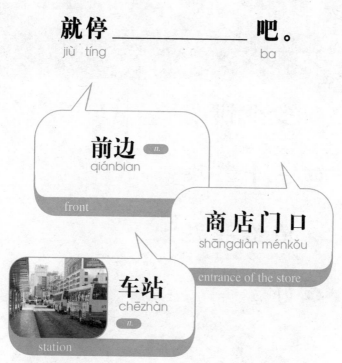

前边 *n.*
qiánbian
front

商店门口
shāngdiàn ménkǒu
entrance of the store

车站
chēzhàn
n.
station

NOTES

"Jiǔ tíng zhěr ba" is a polite form. You also can say "tíng chē" (stop the car) in an emergency (at a stretch). The Chinese character "tíng" (停) is used on traffic signs to call for a stop.

54

请 给 我 发 票。

Qǐng gěi wǒ fāpiào.

Please give me an invoice.

● **多少钱？**
Duōshao qián?

● **三十二块。**
Sānshí'èr kuài.

● **请给我发票。**
Qǐng gěi wǒ fāpiào.

● **好。**
Hǎo.

○ How much is it?
● Thirty-two kuai.
○ Please give me an invoice.
● OK.

请给我 _____ 。
qǐng gěi wǒ

你的电话号码
nǐ de diànhuà hàomǎ

your phone number

他的地址
tā de dìzhǐ

his address

饭店的名片
fàndiàn de míngpiàn

business card of the hotel

NOTES

You'd better ask for an invoice before you get off a taxi, as it bears information such as the section, taxi number, hot line, and price. This makes it possible to recover items you might have left on the taxi.

55

我 坐 车 去 公 司 。

Wǒ zuò chē qù gōngsī.

I go to the company by car.

你 怎 么 去 公 司 ？
Nǐ zěnme qù gōngsī?

我 坐 车 去 公 司 。
Wǒ zuò chē qù gōngsī.

How do you go to the company?

I go to the company by car.

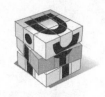

我 _____ 去公司。
wǒ   qù gōngsī

骑车
qí chē

ride a bike / by bike

走着
zǒu zhe

on foot

开车
kāi chē

drive a car / by car

NOTES

Both "qù" and "zǒu" can be translated into "go", but they have different meanings and usage. "Zěnme qù" concerns the mode of transportation, and "zěnme zǒu" concerns directions.

56

这儿离故宫远吗？

Zhèr lí Gùgōng yuǎn ma?

Is it far from here to Forbidden City?

● 这儿离故宫远吗？
Zhèr lí Gùgōng yuǎn ma?

● 不太远。
Bú tài yuǎn.

● Is it far from here to Forbidden City?
● Not too far.

这儿离 _____ 远吗？
zhèr   lí   yuǎn ma

机场
jīchǎng

n.

airport

饭店
fàndiàn

n.

hotel

德国使馆
Déguó Shǐguǎn

German Embassy

NOTES

When we mention the distance between two places, one place is put in front of "lí", while another place is put after it, as in "Zhèr lí Gùgōng yuǎn ma?". If you want to know the exact distance between two places, you can say "Yǒu duō yuǎn?" (How far is it ?).

57

坐车去那儿要20分钟。

Zuò chē qù nàr yào èrshí fēnzhōng.

It takes 20 minutes to go there by car.

● 坐车去那儿要多长时间？

Zuò chē qù nàr yào duō cháng shíjiān?

● 坐车去那儿要 20 分钟。

Zuò chē qù nàr yào èrshí fēnzhōng.

● How long does it take to go there by car?

● It takes 20 minutes to go there by car.

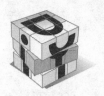

坐车去那儿要 _____ 。
zuò chē qù nàr yào

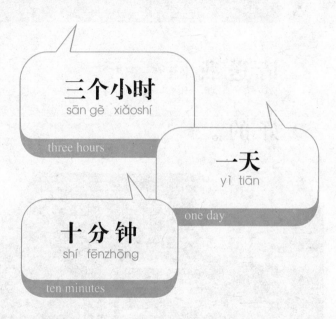

三个小时
sān gè xiǎoshí

three hours

一天
yì tiān

one day

十分钟
shí fēnzhōng

ten minutes

NOTES

"Yào" has many meanings. It expresses expenditure of time or money as in "Mǎi yì zhāng fēijī piào yào duōshao qián?" (How much does it cost to buy a plane ticket?) It expresses "want to get", as in "Wǒ yào yì píng píjiǔ."(I want a bottle of beer.) It expresses "will", as in "Míngtiān wǒ yào huíguó le."(Tomorrow, I will go back to my country.) It expresses "must, should", as in "Qǐng bú yào chōu yān. " (Don't smoke.)

115

58

请送我回饭店。

Qǐng sòng wǒ huí fàndiàn.

Please send me back to the hotel.

请送我回饭店。

Qǐng sòng wǒ huí fàndiàn.

好的。

Hǎode.

Please send me back to the hotel.

OK.

请送我_____。
qǐng sòng wǒ

去英国使馆
qù Yīngguó Shǐguǎn

go to the British Embassy

去服装市场
qù fúzhuāng shìchǎng

go to the market

去王府井
qù Wángfǔjǐng

go to the Wangfujing

NOTES

If your Chinese is very limited, show the taxi driver the name of place, and say "qǐng sòng wǒ qù..." (please take me to...), and the driver will send you to the destination. Don't forget to ask a Chinese friend to write down the name of the place in Chinese characters, since not all drivers can read Pinyin.

59

买一张去上海的飞机票。

Mǎi yì zhāng qù Shànghǎi de fēijī piào.

I want to buy a plane ticket to Shanghai.

● **买 一 张 去 上 海 的 飞 机 票。**
Mǎi yì zhāng qù Shànghǎi de fēijī piào.

● **单 程 的 还 是 往 返 的？**
Dānchéng de háishì wǎngfǎn de?

● **往 返 的。**
Wǎngfǎn de.

● I want to buy a plane ticket to Shanghai.
● One-way ticket or return ticket?
● Return ticket.

买一张去上海的 _____ 。
mǎi yì zhāng qù Shànghǎi de

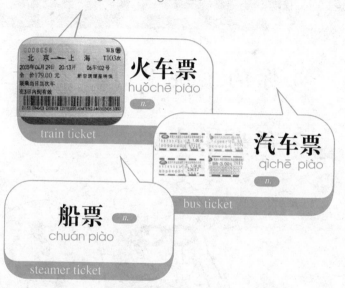

火车票
huǒchē piào
n.

train ticket

汽车票
qìchē piào
n.

bus ticket

船票 *n.*
chuán piào

steamer ticket

NOTES

In Chinese, modifiers are often put in front of the nouns, for example "Mǎi yì zhāng qù Shànghǎi de wǎngfǎn fēijīpiào." (I want to buy a return ticket to Shanghai.), or "Zhè shì tā zuótiān mǎi de shū." (This is the book which he bought yesterday.)

60

你 的 书 呢 ?
Nǐ de shū ne?

Where is your book?

● 你 的 书 呢 ?
　Nǐ de shū ne?

● 在 桌 子 上 。
　Zài zhuōzi shang.

● Where is your book?
● It's on the table.

你的 _____ 呢？
nǐ de   ne

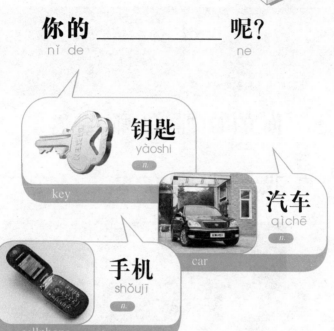

钥匙
yàoshi
n.

key

汽车
qìchē
n.

car

手机
shǒujī
n.

cellphone

NOTE

      Unless otherwise indicated, a word or a phrase concerning person or place plus "ne" is an enquiry as to whereabouts. For instance, "nǐde shū ne" means "where is your book", and "nǐ māma ne" means "where is your mother".

61

我的咖啡在桌子上。

Wǒ de kāfēi zài zhuōzi shang.

My coffee is on the table.

- 你的咖啡在哪儿？

  Nǐ de kāfēi zài nǎr?

- 我的咖啡在桌子上。

  Wǒ de kāfēi zài zhuōzi shang.

- Where is your coffee ?
- My coffee is on the table.

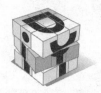

我 的 衣 服 在 _____ 。
wǒ de yīfu zài

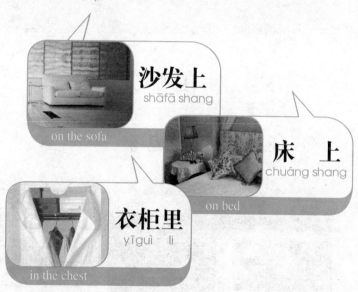

沙发上
shāfā shang

on the sofa

床 上
chuáng shang

on bed

衣柜里
yīguì li

in the chest

NOTES

"Zài...shang" (on...)indicates the location of something. You may say "zài...shàngbian"or "zài...shàngmian" as well.

123

62

卫 生 间 在 哪 儿 ？

Wèishēngjiān zài nǎr?

Where is the toilet?

○ **卫 生 间 在 哪 儿 ？**
Wèishēngjiān zài nǎr?

● **在 走 廊 左 边 。**
Zài zǒuláng zuǒbian.

○ Where is the toilet?
● It is on the left side of the corridor.

_____ 在哪儿？
　　　　　　 zài　nǎr.

停车场 *n.*
tíngchēchǎng
parking lot

售票处 *n.*
shòupiàochù
ticket office

电影院 *n.*
diànyǐngyuàn
cinema

NOTES

　　We can say "xǐshǒujiān" or "cèsuǒ" as well as "wèishēngjiān", but it is better to say "wèishēngjiān" or "xǐshǒujiān" than "cèsuǒ", especially on public occasions.

63

商店在银行旁边。
Shāngdiàn zài yínháng pángbiān.

The shop is beside the bank.

● 商店在哪儿？
　Shāngdiàn zài nǎr?

● 商店在银行旁边。
　Shāngdiàn zài yínháng pángbiān.

○ Where is the shop?
● The shop is beside the bank.

126

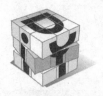

_____ 在 _____ 旁边。
　　zài　　　pángbiān

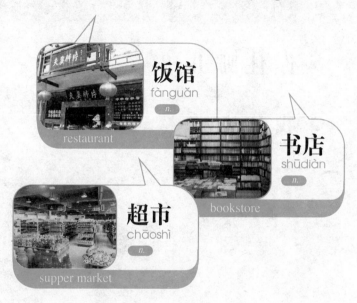

饭馆
fànguǎn
n.
restaurant

书店
shūdiàn
n.
bookstore

超市
chāoshì
n.
supper market

NOTES

　　Except for the fixed expressions "pángbiān"(beside), "zhōngjiān" (in the middle), "duìmiàn" (opposite), other location nouns may use either "biān"or "miàn" as suffix. "Qiánbian" is the same as "qiánmian", and "shàngbian" is the same as "shàngmian".

64

我住 5 号楼 403。
Wǒ zhù wǔ hào lóu sìlíngsān.

I live in building No.5, 403.

你住哪儿？
Nǐ zhù nǎr?

我住 5 号楼 403。
Wǒ zhù wǔ hào lóu sìlíngsān.

Where do you live?

I live in building No.5, 403.

我住 ＿＿＿＿＿＿ 1201。
wǒ zhù　　　　　　　yāo'èrlíngyāo

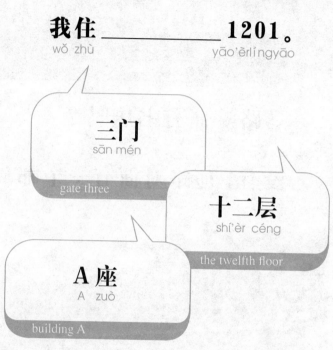

三门
sān mén
gate three

十二层
shí'èr céng
the twelfth floor

A 座
A zuò
building A

NOTES

Since "lóu" means "building" or "floor", careful distinctions are required. When people say "...hào lóu", the "lóu" must refer to the "building" not "floor".

65

马路对面有一个邮局。

Mǎlù duìmiàn yǒu yí gè yóujú.

There is a post office on the opposite side of the road.

● **马路对面有书店吗？**
Mǎlù duìmiàn yǒu shūdiàn ma?

● **没有，马路对面有一个邮局。**
Méiyǒu, mǎlù duìmiàn yǒu yí gè yóujú.

● Is there any book store on the opposite side of the road?
● No, there is a post office on the opposite side of the road.

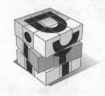

我家 _____ 有一个饭馆。
wǒ jiā　　　　　　yǒu yí gè fànguǎn

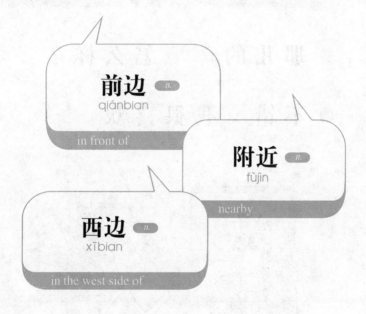

前边 *n.*
qiánbian

in front of

附近 *n.*
fùjìn

nearby

西边 *n.*
xībian

in the west side of

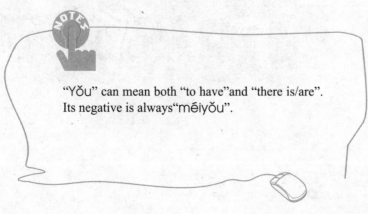

"Yǒu" can mean both "to have" and "there is/are".
Its negative is always "méiyǒu".

66

那儿的环境怎么样？

Nàr de huánjìng zěnmeyàng?

How is the environment there?

● 那儿的环境怎么样？
　Nàr de huánjìng zěnmeyàng?

● 不错，我很喜欢。
　Bú cuò, wǒ hěn xǐhuan.

● How is the environment there?
● Quite good. I like it very much.

132

那儿的 ＿＿＿＿＿ 怎么样？
nàr de zěnmeyàng

中餐馆 *n.*
zhōngcānguǎn

Chinese food restaurant

厨师
chúshī
n.

cook

天气 *n.*
tiānqì

weather

NOTES

"Zěnmeyàng" can also be used to ask whether or not your interlocutor agrees with your suggestion. One makes a suggestion, then adds "zěnmeyàng", e.g, "Wǒmen yìqǐ qù chī fàn, zěnmeyàng? "(Let's have dinner together, shall we?)

67

你 怎 么 了 ？
Nǐ　　zěnme　　le?

What's wrong with you?

● **你 怎 么 了 ？**
　Nǐ　zěnme　le?

● **我 昨 天 晚 上 失 眠 了 。**
　Wǒ　zuótiān　wǎnshang　shīmián　le.

● What's wrong with you?
● I didn't sleep well last night.

134

_____怎么了?
zěnme le

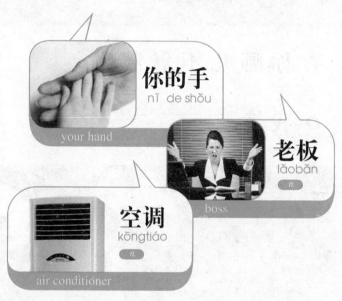

你的手
nǐ de shǒu

your hand

老板
lǎobǎn
n.

boss

空调
kōngtiáo
n.

air conditioner

NOTES

"Zěnme le" is often used when someone is sick or not in good condition, or when there is something wrong. A pronoun or noun can be put before "zěnme le". For example "Nǐ de háizi zěnme le?"(What happened to your child?), and "Zhè gè diànnǎo zěnme le?" (What's wrong with this computer?)

68

我头疼。
Wǒ　　　tóuténg.

I have a headache.

你 哪 儿 不 舒 服 ？
Nǐ　　nǎr　　bù　　shūfu?

我 头 疼 。
Wǒ　tóuténg.

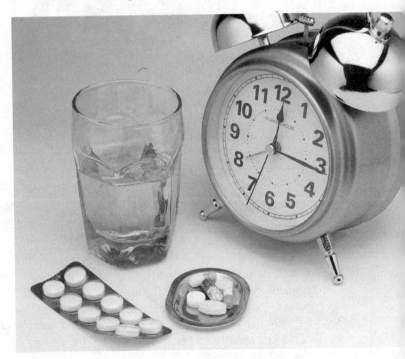

What's wrong with you?

I have a headache.

我 ＿＿＿＿＿＿＿＿。
wǒ

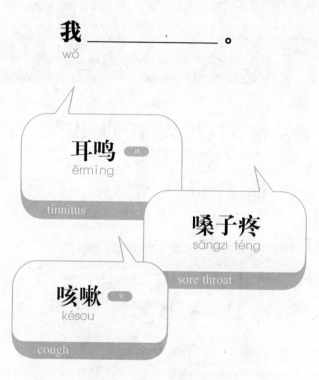

耳鸣 *n.*
ěrmíng

tinnitus

嗓子疼
sǎngzi téng

sore throat

咳嗽 *v.*
késou

cough

NOTES

"Tóuténg" (headache) and "fāshāo" (have a fever) can be used as predicate directly after a subject to express one's state of health. "Yǒu" (have) may not be used in front of them. You cannot say "wǒ yǒu tóuténg".

69

他看上去有点儿累。

Tā kàn shàngqù yǒudiǎnr lèi.

He looks a little bit tired.

● 他看上去有点儿累。

Tā kàn shàngqù yǒudiǎnr lèi.

● 他最近太忙了。

Tā zuìjìn tài máng le.

● He looks a little bit tired.

● He has been too busy recently.

他看上去有点儿 _____。
tā kàn shàngqù yǒudiǎnr

不高兴
bù. gāoxìng

unhappy

不舒服
bù shūfu

uncomfortable

不满意
bù mǎnyì

unsatisfied

NOTES

"Yǒudiǎnr" is often used before a verb or an adjective to express slightness of degree, often a slight inconvenience. For example: "Nǐ bù shūfu ma?" (Are you uncomfortable?) "Yǒu diǎnr." (A little bit.) You cannot say "Wǒ yìdiǎnr fāshāo." "Yì diǎnr" is often put before a noun to express the idea of small quantity. For example "Hē yìdiǎnr niúnǎi." (Have a little milk.), or "Huì yìdiǎnr Yīngyǔ." (Know a little English.)

70

去医院看看吧。
Qù   yīyuàn   kànkan   ba.

You'd better go to see the doctor.

● **我 的 腿 疼 极 了。**
Wǒ de tuǐ téng jí le.

● **去 医 院 看 看 吧。**
Qù yīyuàn kànkan ba.

● My leg is terribly painful.
○ You'd better go to see the doctor.

_____ 吧。
ba

吃点儿药
chī diǎnr yào

take some medicine

休息一会儿
xiūxi yíhuìr

rest a while

喝点儿水
hē diǎnr shuǐ

have a little water

NOTES

"Ba" is used at the end of a sentence to make a suggestion. Verbs, verbal phrases and statement sentences can be put before "ba". For example "Zǒu ba."(Let's go.) "Nǐ zǎo diǎnr xiūxi ba." (Take a rest soon.)

71

我今天不能上班了。

Wǒ　　jīntiān　　bù　néng　shàngbān　　le.

I can't go to work today.

● **我不舒服，今天不能上班了。**
Wǒ bù shūfu, jīntiān bù néng shàngbān le.

● **你好好休息吧。**
Nǐ hǎohāo xiūxi ba.

● I feel uncomfortable. I can't go to work today.

● Have a good rest.

我不能 ＿＿＿＿＿＿＿＿ 了。

wǒ bù néng   le

去你家
qù nǐ jiā

go to your house

去买东西
qù mǎi dōngxi

go shopping

和你一起吃饭
hé nǐ yìqǐ chīfàn

have a meal with you

NOTES

"Le" expresses a change of situation. "Wǒ bù néng shàngbān le." in effect means "I planned to go to work, but now I find I can't." Another example: "Wǒ huì shuō Zhōngwén le." means "I couldn't speak Chinese before, but now I can."

72

别 着 急。
Bié zhāojí.

Don't worry.

● 我 的 钱包 不见 了。
Wǒ de qiánbāo bú jiàn le.

● 别 着急，你 再 好好 找找。
Bié zhāojí, nǐ zài hǎohāo zhǎozhao.

● My wallet is missing.
● Don't worry. You'd better look for it carefully.

别 _____ 。
biế

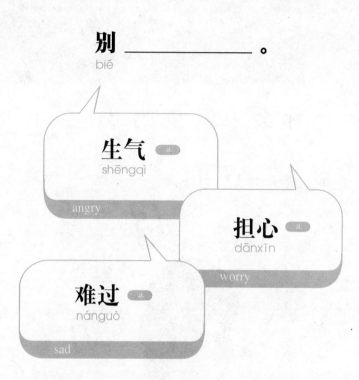

生气 *a.*
shēngqì
angry

担心 *a.*
dānxīn
worry

难过 *a.*
nánguò
sad

NOTES

"Biế zhǎojí" has two meanings. One is "don't be in a hurry" and the other is "don't worry" When you console somebody or prevent somebody from doing something, you can use either "biế" or "bú yão".

73

你会说英语吗？
Nǐ huì shuō Yīngyǔ ma?

Can you speak English?

● 你会说英语吗？
Nǐ huì shuō Yīngyǔ ma?

● 会一点儿。
Huì yìdiǎnr.

○ Can you speak English?

● I know a little.

你会 —————— 吗？
nǐ huì   ma

游泳
yóuyǒng
v.
swim

上网
shàngwǎng
v.
surf on internet

说汉语
shuō Hànyǔ
speak Chinese

NOTES

The verb "huì" refers to the ability to do something and can be used independently in response, e.g. "Nǐ huì yóuyǒng ma?" (Can you swim?) "Huì" (I can). "Huì" can be followed directly by a noun to express understanding or knowledge of the subject, e.g. "Wǒ huì Yīngyǔ." (I can speak English.) "Huì" also expresses possibility. For example, "Tā míngtiān huì huílái de." (He will be back tomorrow.)

147

74

假期过得怎么样？
Jiàqī guò de zěnmeyàng?

How did you spend your holiday?

● 假期过得怎么样？
Jiàqī guò de zěnmeyàng?

● 不错。去了不少地方。
Bú cuò. Qù le bù shǎo dìfang.

○ How did you spend your holiday?

● Not bad. We visited many places.

————— 过得怎么样？
guò de zěnmeyàng

圣诞节
Shèngdànjié
n.

Christmas

春节
Chūnjié
n.

Spring Festival

周末 *n.*
zhōumò

weekend

NOTES

"Jiàqī guò de zěnmeyàng?" is used to greet each other after a holiday. "Zěnmeyàng" is often used to ask about the general situation. You can say both "verb+de+ zěnmeyàng" and "noun+zěnmeyàng". For example "Wán de zěnmeyàng?" (Did you have a good time?) "Nǐ de xīn chē zěnmeyàng?"(How is your new car?)

149

75

他 网 球 打 得 很 好 。
Tā wǎngqiú dǎ de hěn hǎo.

He plays tennis very well.

● 他 网 球 打 得 怎 么 样 ？
Tā wǎngqiú dǎ de zěnmeyàng?

● 他 网 球 打 得 很 好 。
Tā wǎngqiú dǎ de hěn hǎo.

● How does he play tennis?
● He plays tennis very well.

他网球打得＿＿＿＿＿＿＿＿。
tā wǎngqiú dǎ de

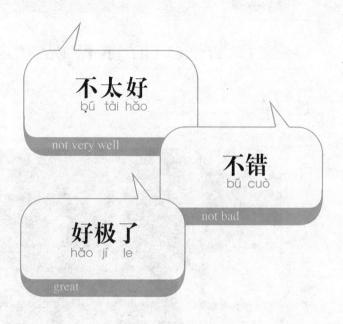

不太好
bù tài hǎo

not very well

不错
bù cuò

not bad

好极了
hǎo jí le

great

NOTE

If a predicate is followed by an object in a sentence, you can say "Tā wǎngqiú dǎ de hěn hǎo." or "Tā dǎ wǎngqiú dǎ de hěnhǎo", but not "Tā dǎ wǎngqiú hěn hǎo."

76

我没听懂，请你再说一遍。

Wǒ méi tīng dǒng, qǐng nǐ zài shuō yí biàn.

I didn't understand you. Please say it again.

● 我没听懂，请你再说一遍。
　Wǒ méi tīng dǒng, qǐng nǐ zài shuō yí biàn.

● 好。
　Hǎo.

○ I didn't understand you. Please say it again.
● OK.

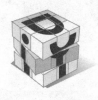

_____，请你再说一遍。
qǐng nǐ zài shuō yí biàn

我没听清楚
wǒ méi tīng qīngchu

I did not hear clearly.

我的中文不太好
wǒ de Zhōngwén bū tài hǎo

My Chinese is poor.

你说什么
nǐ shuō shénme

What did you say?

NOTES

"Biàn" indicates the complete duration of an action from beginning to end. For example "Zhē bēn shū wǒ kān le yí biàn." (I've read this book once). "C ì" indicates the frequency of an action. For example "Wǒ shāng xīngqī lái le liǎng c ì." (I came here twice last week.)

77

这周末你有空吗？
Zhè zhōumò nǐ yǒu kòng ma?

Will you be free this weekend?

● 这周末你有空吗？
Zhè zhōumò nǐ yǒu kòng ma?

● 有空。
Yǒu kòng.

● 我和朋友去爬山，你愿意参加吗？
Wǒ hé péngyou qù pá shān, nǐ yuànyì cānjiā ma?

● 当然愿意。
Dāngrán yuànyì.

● Will you be free this weekend?
● Yes.
● My friend and I will climb a mountain. Would you like to join us?
● Certainly.

这周末你 _____ ?
zhè zhōumò nǐ

有时间吗
yǒu shíjiān ma

Do you have time ?

有事吗
yǒu shì ma

Are you busy?

怎么过
zěnme guò

How will you spend...

NOTES

In Chinese, "zhē zhōumǒ" means the coming weekend and "xiǎ zhōumǒ" means next weekend.

78

我跟朋友一起去看电影。

Wǒ gēn péngyou yìqǐ qù kàn diànyǐng.

I will go to see a movie with my friend.

● **周末你打算做什么？**

Zhōumò nǐ dǎsuàn zuò shénme?

● **我跟朋友一起去看电影。**

Wǒ gēn péngyou yìqǐ qù kàn diànyǐng.

英雄

电影院

○ What will you do this weekend?

● I will go to see a movie with my friend.

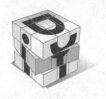

我跟朋友一起去 _____ 。
wǒ gēn péngyou yìqǐ qù

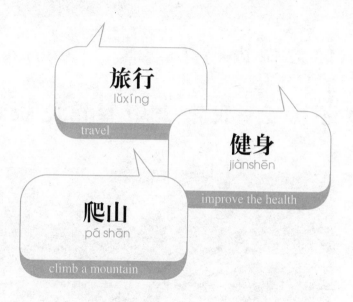

旅行
lǚxíng
travel

健身
jiànshēn
improve the health

爬山
pá shān
climb a mountain

NOTES

"Kàn" can mean any of read, look, visit, see or watch. For example, "kàn diànyǐng"(watch a movie), "kàn shū"(read a book), "kàn péngyou" (visit a friend) , "kàn bǐsài"(watch a match) "kàn diànshì" (watch TV). You also can say "gěi wǒ kànkan"(show me...) or "nǐ kàn"(look).

157

79

我常去中餐馆吃饭。

Wǒ cháng qù zhōngcānguǎn chī fàn.

I often have my meal in the Chinese restaurant.

● **你会做饭吗？**
Nǐ huì zuò fàn ma?

● **不太会，我常去中餐馆吃饭。**
Bú tài huì, wǒ chángqù zhōngcānguǎn chī fàn.

○ Can you cook?
○ Not very much. I often have my meal in the Chinese restaurant.

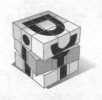

我 _____ 去中餐馆吃饭。

wǒ　　　　　　qù zhōngcānguǎn chī fàn

有时候 *ad.*
yǒushíhou
sometimes

总是 *ad.*
zǒngshì
always

很少 *ad.*
hěn shǎo
seldom

"Cānguǎn" means restaurant. "Fàndiàn" means both restaurant and hotel. "Fànzhuāng", "fànguǎn", "jiǔjiā" and "cāntīng" also mean restaurant.

80

我一星期去一次健身房。
Wǒ yì xīngqī qù yí cì jiànshēnfáng.

I go to the gymnasium once a week.

● 你多长时间去一次健身房？
Nǐ duōcháng shíjiān qù yí cì jiànshēnfáng?

● 我一星期去一次健身房。
Wǒ yì xīngqī qù yí cì jiànshēnfáng.

● How often do you go to the gymnasium?
● I go to the gymnasium once a week.

我 _____ 去一次健身房。
wǒ　　　　　　　qù yí cì jiànshēnfáng

每两天
měi liǎng tiān

every two days

三天
sān tiān

three days

半个月
bàn gè yuè

half a mouth

"Once a week" is "yì xīngqī yí cì" in Chinese. If there is a verb in the sentence, the verb should be placed between time word and verbal measure word (cì), as in "yì xīngqī qù yí cì jiànshēnfáng".

今天很冷。
Jīntiān hěn lěng.

It is cold today.

今天的天气怎么样？
Jīntiān de tiānqì zěnmeyàng?

今天很冷。
Jīntiān hěn lěng.

How is the weather today?

It is cold today.

今天很＿＿＿＿＿＿。
jīntiān hěn

热 *a.*
rè
hot

暖和 *a.*
nuǎnhuo
warm

凉快 *a.*
liángkuai
cool

Besides "hěn", words and phrases like "fēicháng" (very), "tèbié" (especially), "tài...le" (too) and "...jí le" (extremely) can also be used to express degree.

82

明天多少度？
Míngtiān　　duōshao　　dù?

What is the temperature tomorrow?

● 明天多少度？
　Míngtiān　duōshao　dù?

● 零下二十二度。
　Língxià　　èrshí'èr　　dù.

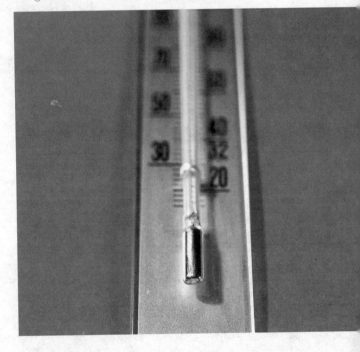

● What is the temperature tomorrow?
● It is minus 22 degrees.

_____ 多少度？
duōshao dù

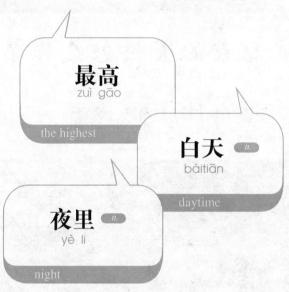

最高
zuì gāo

the highest

白天 *n.*
báitiān

daytime

夜里 *n.*
yè li

night

NOTES

In China, the unit of temperature is degrees centigrade. When the temperature is below zero, we say "língxià...dù", as "língxià shí dù" (minus 10 degrees).

83

北京比上海冷。
Běijīng bǐ Shànghǎi lěng.

It is colder there than in Beijing.

● 北京的天气怎么样？
Běijīng de tiānqì zěnmeyàng?

● 北京比上海冷。
Běijīng bǐ Shànghǎi lěng.

● How is the weather there in Beijing ?
● It is colder there than in Shanghai.

北京比上海 _____。
Běijīng bǐ Shànghǎi

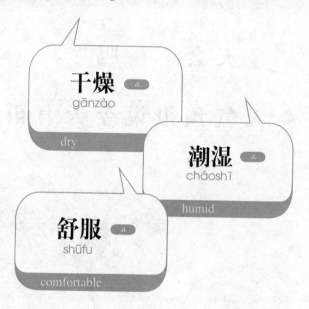

干燥 a.
gānzào
dry

潮湿 a.
cháoshī
humid

舒服 a.
shūfu
comfortable

NOTES

When making a comparison, we can use "yìdiǎnr" or "duō le" after an adjective to show the degree of the difference. When we want to express a low degree, we can use "yìdiǎnr", as "lěng yìdiǎnr", "rè yìdiǎnr". An adjective plus "duō le" means a high degree. We can also say "de duō", as "lěng de duō", "rè de duō".

84

今天会下雨吗？
Jīntiān huì xià yǔ ma?

● 今天会下雨吗？
Jīntiān huì xià yǔ ma?

● 天气预报说今天有雨。
Tiānqì yùbào shuō jīntiān yǒu yǔ.

● Will it rain today?
● According to the weather forecast, it will rain today.

168

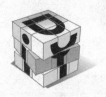

今天会 ＿＿＿＿＿＿＿ 吗？
jīntiān huì　　　　　　　ma

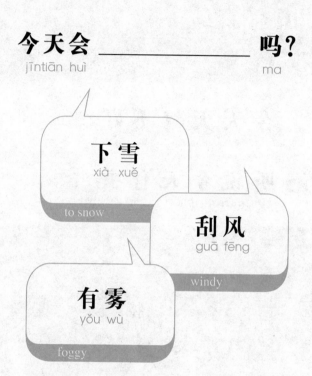

下雪
xià xuě

to snow

刮风
guā fēng

windy

有雾
yǒu wù

foggy

NOTES

When discussing phenomena like "rain", "snow", "fog", "wind", etc, we often use "dǎ", "xiǎo" to describe them, as in "xià xiǎo yǔ" (have light rain), "guā dà fēng" (have strong wind).

85

听说今天有小雪。

Tīngshuō jīntiān yǒu xiǎo xuě.

It's said that there is light snowfall today.

● 今天天气不好。
Jīntiān tiānqì bù hǎo.

● 听说今天有小雪。
Tīngshuō jīntiān yǒu xiǎo xuě.

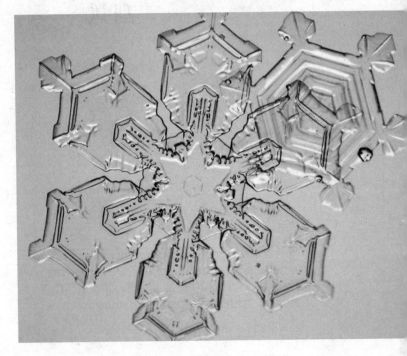

○ The weather is not good today.

● It's said that there is light snowfall today.

听说今天有＿＿＿＿＿＿。
tīngshuō jīntiān yǒu

大风
dà fēng
strong wind

大雪
dà xuě
heavy snowfall

小雨
xiǎo yǔ
light rain

NOTES

"Shuō" means "say". When we don't know the source of the news, we may say "tīngshuō...", "jùshuō..." and "yǒurén shuō...", which means "it is said...", "someone said...".

86

我没带雨伞。

Wǒ méi dài yǔsǎn.

I haven't brought an umbrella.

● **天气预报说今天有大雨。**
Tiānqì yùbào shuō jīntiān yǒu dà yǔ.

● **可是我没带雨伞。**
Kěshì wǒ méi dài yǔsǎn.

● **没关系，我带了。**
Méi guānxi, wǒ dài le.

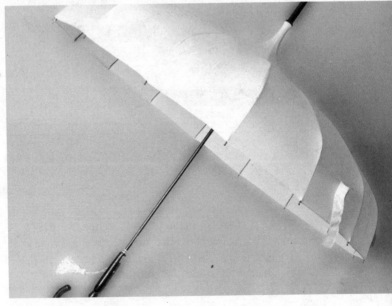

● According to the weather forecast there will be heavy rain today.
● But I haven't brought an umbrella.
● It doesn't matter. I brought one.

172

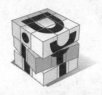

我没带 _____ 。
wǒ méi dài

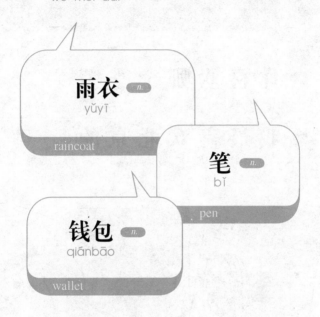

雨衣 *n.*
yǔyī

raincoat

笔 *n.*
bǐ

pen

钱包 *n.*
qiánbāo

wallet

NOTES

　　　In Chinese, "dài" means both "bring" and "take". If you want to emphasize the direction of "dài", you may add "lái" or "qù", as in "dài háizi lái" (bring the child here), "dài shū qù" (take the book away).

87

我最喜欢北京的秋天。

Wǒ zuì xǐhuan Běijīng de qiūtiān.

I like the autumn in Beijing best.

● 你喜欢哪个季节？
　 Nǐ xǐhuan nǎ gè jìjié?

● 我最喜欢北京的秋天。
　 Wǒ zuì xǐhuan Běijīng de qiūtiān.

● Which season do you like best?
● I like the autumn in Beijing best.

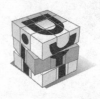

我最喜欢北京的 _____。
wǒ zuì xǐhuan Běijīng de

春天
chūntiān
n.
spring

夏天
xiàtiān
n.
summer

冬天
dōngtiān
n.
winter

NOTES

"Zuì" means "the most", as in "zuì hǎo" (best), "zuì piàoliang" (the most beautiful), "zuì xǐhuan" (like most), "zuì xīwàng"(wish best), etc.

88

阿姨，请把这些衣服熨一下儿。
Āyí, qǐng bǎ zhè xiē yīfu yùn yíxiàr.

Ayi, please iron these clothes.

● 阿姨，请把这些衣服熨一下儿。
Āyí, qǐng bǎ zhè xiē yīfu yùn yíxiàr.

● 好。
Hǎo.

○ Ayi, please iron these clothes.
● OK.

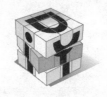

阿姨，请把这些衣服 ___ 一下儿。
ā yí　qǐng bǎ zhè xiē　yīfu　　yí xiàr

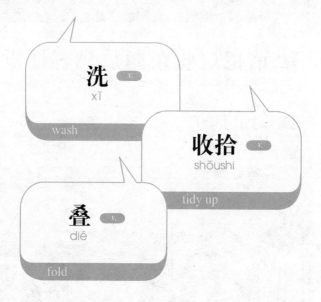

洗
xǐ
wash

收拾
shōushi
tidy up

叠
dié
fold

NOTES

In Chinese, "xià" along with a number word can be used after a verb to indicate the number of times the action in question has taken place and should normally be pronounced with "r". "Yíxiàr" is used after a verb not only to indicate the number of times the action takes place, but also to indicate that the action is of very short duration, to make the sentence sound soft and informal, or to indicate that the action is only for trial purposes.

89

请把这些东西放到客厅里。
Qǐng bǎ zhè xiē dōngxi fàng dào kètīng li.

Please put these things to the sitting room.

● 请把这些东西放到客厅里。
Qǐng bǎ zhè xiē dōngxi fàng dào kètīng li.

● 好的。
Hǎode.

○ Please put these things to the sitting room.
○ OK.

请把这些东西放到 ＿＿＿ 里。
qǐng bǎ zhè xiē dōngxi fàng dào　　　 li

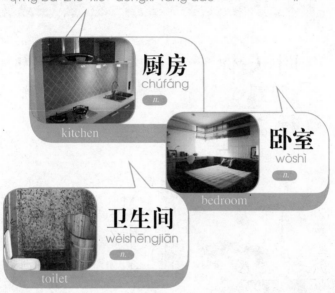

厨房
chúfáng
n.

kitchen

卧室
wòshì
n.

bedroom

卫生间
wèishēngjiān
n.

toilet

NOTES

"Things" in English has two translations in Chinese: "dōngxi" for objects, and "shì", "shìqing" for matters, affairs or deeds.

90

明天你晚点儿走，行吗？
Míngtiān nǐ wǎn diǎnr zǒu, xíng ma?

Can you leave a bit late tomorrow?

○ 明天你晚点儿走，行吗？
Míngtiān nǐ wǎn diǎnr zǒu, xíng ma?

● 行。
Xíng.

○ Can you leave a bit late tomorrow?
● OK.

明天你 ＿＿＿＿ ，行吗 ？
míngtiān nǐ　　　　　　xíng ma

晚一两个小时走
wǎn yì liǎng gè xiǎoshí zǒu

leave one or two hours late

早半个小时到
zǎo bàn gè xiǎoshí dào

arrive half an hour earlier

早点儿来
zǎo diǎnr lái

come a bit earlier

NOTES

Successive numbers can be put together to give an estimate,e.g. "yì liǎng gè xiǎoshí" (one or two hours), "èr sān shí fēnzhōng" (thirty or forty minutes), "sān sì bǎi rén"(three or four hundred people).

91

请你帮我照看一下儿孩子。

Qǐng nǐ bāng wǒ zhàokàn yí xiàr háizi.

Please help me look after my baby.

● **阿姨，今天晚上我有事，**
Āyí, jīntiān wǎnshang wǒ yǒu shì,

请你帮我照看一下儿孩子，好吗？
qǐng nǐ bāng wǒ zhàokàn yí xiàr háizi, hǎo ma?

● **没问题，您大概几点回来？**
Méi wèntí, nín dàgài jǐ diǎn huílái?

● **十点左右，我会付您加班费。**
Shí diǎn zuǒyòu, wǒ huì fù nín jiābānfèi.

○ Ayi, I have something to do this evening. Could you please (help me) look after my baby?

● No problem. When will you be back?

○ About 10:00. I will give you a bonus.

请你帮我 _____。
qǐng nǐ bāng wǒ

找一下儿钥匙
zhǎo yíxiàr yàoshi

look for the key

去修一下儿自行车
qù xiū yíxiàr zìxíngchē

have the bike repaired

打个电话
dǎ gè diànhuà

make a call

In Chinese, "a number + measure word + noun" can be used to modify an object. If the number is "yī" (one), it is often omitted in the structure "verb + yī + measure word + noun". If the number is not "yī" (one), it cannot be omitted.

92

别 忘 了 接 孩 子。
Bié wàng le jiē háizi.

Don't forget to pick up my child.

● 别 忘 了 接 孩 子。
Bié wàng le jiē háizi.

● 忘 不 了。
Wàng bu liǎo.

● Don't forget to pick up my child.
● I won't.

别忘了 _____ 。
bié wàng le

给孩子洗澡
gěi háizi xǐzǎo

bathe the child

给孩子喂药
gěi háizi wèi yào

give the child medicine

浇花
jiāo huā

water the flowers

NOTES

"Bié wàng le" is used to remind someone of something. It can be followed by a verb, a verbal phrase, a noun or nominal phrase.

93

晚上我有个聚会，不用准备晚饭了。
Wǎnshang wǒ yǒu gè jùhuì, bú yòng zhǔnbèi wǎnfàn le
I have a party this evening. There is no need to cook for me.

● 晚上我有个聚会，不用准备晚饭了。
　　Wǎnshang wǒ yǒu gè jùhuì, bú yòng zhǔnbèi wǎnfàn le.

● 好的。
　　Hǎode.

　● I have a party this evening. There is no need to cook for me.
　● OK.

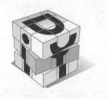

晚上我有个 _____ ，
wǎnshang wǒ yǒu gè

不用准备晚饭了。
bú yòng zhǔnbèi wǎnfàn le

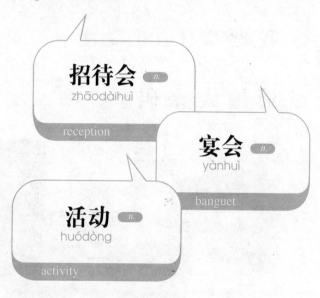

招待会 *n.*
zhāodàihuì
reception

宴会 *n.*
yànhuì
banquet

活动 *n.*
huódòng
activity

NOTES

"Yào"in Chinese can be used to express "need, requirement" , but "no need, to not have to" are normally translated as "bú yòng".

94

我要取1000块钱。
Wǒ yào qǔ yì qiān kuài · qián.

I want to withdraw 1000 yuan.

● 我要取1000块钱。
Wǒ yào qǔ yì qiān kuài qián.

● 请输入密码。
Qǐng shūrù mìmǎ.

◐ I want to withdraw 1000 yuan.

◑ Please enter the password.

我要 ＿＿＿＿＿＿ 。
wǒ yào

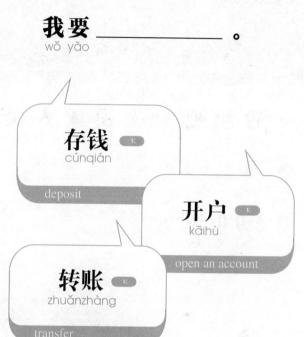

存钱 _v._
cúnqián
deposit

开户 _v._
kāihù
open an account

转账 _v._
zhuǎnzhàng
transfer

NOTES

In Chinese, thousand, ten thousand, hundred thousand, million, ten million and a hundred million are "qiān, wàn, shí wàn, bǎi wàn, qiān wàn, yì" respectively.

95

我想把欧元换成人民币。

Wǒ xiǎng bǎ Ōuyuán huàn chéng Rénmínbì.

I want to exchange Euros into Renminbi.

- 我 想 把 欧 元 换 成 人 民 币。
  Wǒ xiǎng bǎ Ōuyuán huàn chéng Rénmínbì.

- 换 多 少？
  Huàn duōshao?

- 5 0 0 欧 元。
  Wǔ bǎi Ōuyuán.

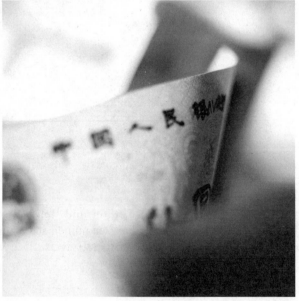

- I want to exchange Euros into Renminbi.
- How much?
- 500 Euros.

我 想 把 ＿＿＿＿ 换 成 人 民 币 。
wǒ xiǎng bǎ　　　　　huàn chéng Rénmínbì

美元
Měiyuán
pn.

US dollar

日元
Rìyuán
pn.

Yen

英镑
Yīngbàng
pn.

Pound

NOTES

"Huàn" can be translated into "change" in English, but "change" has many different words in Chinese, such as "huàn qián" (change money), "gǎibiàn jìhuà" (change the plan), etc.

96

附近有自动取款机吗？

Fùjìn yǒu zìdòng qǔkuǎnjī ma?

Is there any ATM nearby?

● 这儿不能刷卡。

Zhèr bù néng shuā kǎ.

● 附近有自动取款机吗？

Fùjìn yǒu zìdòng qǔkuǎnjī ma?

● 马路对面有一个。

Mǎlù duìmiàn yǒu yí gè.

◯ Credit cards are not accepted here.

● Is there any ATM nearby?

◯ There is one on the opposite side of the street.

附近有 ＿＿＿＿＿ 吗？
fùjìn yǒu   ma

中国银行
Zhōngguó Yínháng
pn.
Bank of China

自助银行
zìzhù   yínháng
self service bank

中国工商银行
Zhōngguó Gōngshāng Yínháng
pn.
Industrial and Commercial Bank of China

NOTES

Some other useful words concerned with banking include "xiànjīn" (cash), "zhīpiào" (cheque), "xìnyòngkǎ" (credit card), "huóqī cúnkuǎn" (current deposit), "dìngqī cúnkuǎn" (fixed deposit), "lìxī"(interest) and "bǐjià" (rate of exchange).

97

师傅，我的空调坏了。

Shīfu,　　wǒ　de　kōngtiáo　huài　le.

Master, my air conditioner doesn't work.

● **师 傅 ， 我 的 空 调 坏 了 。**
Shīfu,　　　　wǒ de kōngtiáo huài le.

● **怎 么 了 ？**
Zěnme le?

● **不 制 冷 。**
Bú zhìlěng.

● **下 午 我 去 看 看 。**
Xiàwǔ wǒ qù kànkan.

○ Master, my air conditioner doesn't work.
● What happened?
○ It doesn't refrigerate.
● I'll have it checked this afternoon.

我的 _____ 坏了。
wǒ de　　　　　　　　　huài le

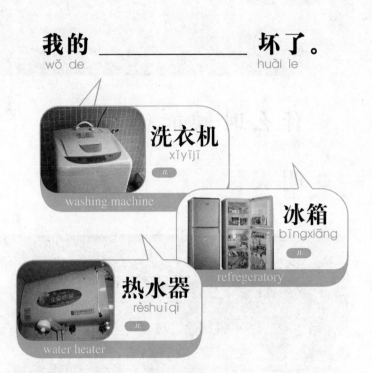

洗衣机
xǐyījī
n.
washing machine

冰箱
bīngxiāng
n.
refregeratory

热水器
rèshuǐqì
n.
water heater

"Huài le" can be used in different ways to indicate a breakdown, or food going bad.

98

什么时候能修好？
Shénme shíhou néng xiū hǎo?

When can you have it repaired?

● 什么时候能修好？
Shénme shíhou néng xiū hǎo?

● 明天。
Míngtiān.

● When can you have it repaired?
● Tomorrow.

什么时候能 —————— ？
shénme shíhou néng

送来
sòng lái

send here

做完
zuò wán

finish

取 *v.*
qǔ

fetch

"Hǎo" means "easy" in "Lù bù hǎo zǒu."(The road is not easy to go.) or "Nǐ jiā hěn hǎo zhǎo."(It's easy to find your house.) "Hǎo" also means "good, well", as in "hǎo kàn" (good-looking) "hǎo tīng" (good to listen). "Hǎo" can also evoke a sense of completion, as in "Fàn zuò hǎo le." (The food is well done.) or "Wǒ chī hǎo le. " (I have eaten my fill.)

197

99

请送一桶纯净水。

Qǐng sòng yì tǒng chúnjìngshuǐ,

Please send me a pail of pure water.

● **请送一桶纯净水。**
Qǐng sòng yì tǒng chúnjìngshuǐ,

● **什么时候？**
Shénme shíhou?

● **越快越好。**
Yuè kuài yuè hǎo.

○ Please send me a pail of pure water.

● When?

○ As soon as possible.

请送 ＿＿＿＿＿＿ 。
qǐng sòng

一张比萨饼
yì zhāng bǐsà bǐng

one pizza

两张音乐会的票
liǎng zhāng yīnyuèhuì de piào

two concert tickets

五份盒饭
wǔ fèn héfàn

five lunchboxes

"Sòng" has different meanings and usages including "sòng tā qù jīchǎng" (send him to the airport), "sòng lǐwù" (give a gift), "sòng kèrén" (see a guest off) , and "sòng huò" (send the goods).

100

我想做一件真丝旗袍。

Wǒ xiǎng zuò yí jiàn zhēnsī qípáo.

I want to make a silk cheong-sam.

- 你想做什么样式的衣服？
  Nǐ xiǎng zuò shénme yàngshì de yīfu?

- 我想做一件真丝旗袍。
  Wǒ xiǎng zuò yí jiàn zhēnsī qípáo.

- What sort of clothes do you want to make?
- I want to make a silk cheong-sam.

我 想 做 ＿＿＿＿＿＿ 。
wǒ xiǎng zuò

羊绒大衣
yángróng dàyī

cashmere coat

纯棉衬衣
chúnmián chènyī

cotton blouse

亚麻裙子
yàmá qúnzi

flax skirt

NOTES

In China, craftsmen and blue collar workers, such as tailors, cooks, drivers and repairmen, can be called "shīfu" (master).

十二属相

12 Chinese Years of Animals

The names of 12 symbolic animals are associated with a 12-year cycle. Every animal is used to denote the year of a person's birth.

鼠 rat
1948, 1960, 1972, 1984, 1996

牛 ox
1949, 1961, 1973, 1985, 1997

虎 tiger
1950, 1962, 1974, 1986, 1998

兔 rabbit
1951, 1963, 1975, 1987, 1999

龙 dragon
1952, 1964, 1976, 1988, 2000

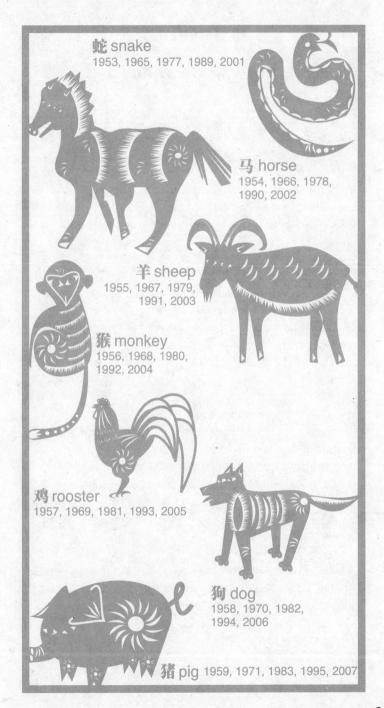

蛇 snake
1953, 1965, 1977, 1989, 2001

马 horse
1954, 1966, 1978,
1990, 2002

羊 sheep
1955, 1967, 1979,
1991, 2003

猴 monkey
1956, 1968, 1980,
1992, 2004

鸡 rooster
1957, 1969, 1981, 1993, 2005

狗 dog
1958, 1970, 1982,
1994, 2006

猪 pig 1959, 1971, 1983, 1995, 2007

八大菜系 Eight Cuisines

山东菜 Shandong Cuisine
Shandong cuisine, clear, pure and not greasy, is characterized by its emphasis on aroma, freshness, crispness and tenderness. Shallot and garlic are usually used as seasonings, so Shangdong dishes taste pungent. Soups are given much emphasis in Shangdong dishes.

四川菜 Sichuan Cuisine
Characterized by its spicy and pungent flavor, Sichuan cuisine, prolific of tastes, emphasizes on the use of chili. Pepper and prickly-ash also never fail to accompany, producing typical exciting tastes. Besides, garlic, ginger and fermented soybean are also used in the cooking process.

广东菜 Guangdong Cuisine
Tasted clear, light, crisp and fresh, Guangdong cuisine, familiar to Westerners, usually chooses raptors and beasts to produce originative dishes. Its basic cooking techniques include roasting, stir-frying, sauteing, deep-frying, braising, stewing and steaming. Guangdong cooks also pay much attention to the artistic presentation of dishes.

福建菜 Fujian Cuisine
Fujian cuisine is distinguished for its choice: seafood, beautiful color and magic taste of sweet, sour, salty and savory. The most distinct feature is its "pickled taste".

江苏菜 Jiangsu Cuisine
Jiangsu cuisine is well known for its careful selection of ingredients, its meticulous preparation methodology, and its not-too-spicy, not-too-bland taste. Cooking techniques consist of stewing, braising, roasting, simmering, etc. The flavor of Jiangsu Cuisine is light, fresh and sweet.

浙江菜 Zhejiang Cuisine
Zhejiang cuisine, not greasy, wins its reputation for freshness, tenderness, softness, smoothness of its dishes with mellow fragrance.

湖南菜 Hunan cuisine
Hunan cuisine characterizes itself by thick and pungent flavor. Chili, pepper and shallot are usually necessaries.

安徽菜 Anhui Cuisine
Anhui cuisine cooks focus much attention on the temperature in cooking and are good at braising and stewing. Often hams and sugar will be added to improve taste.

常用计量单位换算表 Conversion Tables

长度 Length

1mile [英里] =1.6093kilometer [千米]
1kilometer [千米] =2li [市里] =0.621mile [英里]
1foot [英尺] =0.305meter [米] =0.914chi [市尺]
1meter [米] =3chi [市尺] =3.281feet [英尺]

重量 Weight

1kilogram [千克(公斤)] =2jin [市斤] =2.205pounds [磅]
1jin [市斤] =0.5kilogram [千克] =1.102pounds [磅]
1pound [磅] =0.454kilogram [千克(公斤)] =0.907jin [市斤]

容积 Capacity

1liter [升] =0.22gallons [加仑]
1gallon [加仑] =4.546liter [升]

紧急电话号码 Emergency Phone Numbers

报警电话 police call 110
火警电话 fire alarm 119
急救中心 first aid 120
交通事故 traffic accident 122

郑 重 声 明

高等教育出版社依法对本书享有专有出版权。任何未经许可的复制、销售行为均违反《中华人民共和国著作权法》,其行为人将承担相应的民事责任和行政责任,构成犯罪的,将被依法追究刑事责任。为了维护市场秩序,保护读者的合法权益,避免读者误用盗版书造成不良后果,我社将配合行政执法部门和司法机关对违法犯罪的单位和个人给予严厉打击。社会各界人士如发现上述侵权行为,希望及时举报,本社将奖励举报有功人员。

反盗版举报电话:(010) 58581897/58581896/58581879

传　真:(010) 82086060

E－mail: dd@hep.com.cn

通信地址:北京市西城区德外大街 4 号

　　　　　高等教育出版社打击盗版办公室

邮　编:100120

购书请拨打电话:(010)58581118